LA CUISINE TOSCANE

D'ELISABETTA PIAZZESI

Comment lire les Fiches

DIFFICULTÉ	GOÛT	APPORT NUTRITIONNEL
● Facile ●● Moyenne ●●● Difficile	● Délicat ●● Relevé ●●● Très relevé	● Bas ●● Moyen ●●● Élevé

Conception éditoriale : Casa Editrice Bonechi
Directeur éditorial : Alberto Andreini
Coordination : Paolo Piazzesi
Conception graphique : Andrea Agnorelli
Mise en pages vidéo : Andrea Agnorelli
Couverture : Maria Rosanna Malagrinò
Rédaction : Rina Bucci

Traduction : Laura Meijer

En cuisine : Elisabetta Piazzesi
Diététicien : Dr. John Luke Hili

Les photos en cuisine, propriété des archives Bonechi, ont été réalisées par Dario Grimoldi *et* Andrea Fantauzzo *(pp. 11, 15, 29, 33, 35, 40, 44, 46, 49, 54-55, 57, 58-59, 64, 68, 69, 76-77, 78, 79, 80, 81, 82, 87, 94, 101, 102-103, 104, 108, 114, 118, 120)*

Les vues photographiques, propriété des archives Bonechi, ont été réalisées par : Genni Cappelli, R. Cecconi, Stefano Cellai, Luca Del Pia, Paolo Giambone, Mario Lari, M.S.A., Andrea Pistolesi, Aldo Umicini.
Francesco Giannoni *(par aimable concession) : pp. 6, 22, 47, 50, 55, 76.*

Pour les photographies non attribuées à un auteur, l'Éditeur sera reconnaissant pour d'éventuelles communications, de manière à pouvoir mettre à jour les éditions suivantes.

E-mail : bonechi@bonechi.it *Internet :* www.bonechi.it

Imprimé en Italie par le Centro Stampa Editoriale Bonechi.

ISBN 88-476-0781-7

* * *

PRÉFACE

Florence, la Toscane. Mon terroir noble et antique, au paysage doucement modelé par l'homme, dans lequel se détachent plus belles encore les beautés naturelles. Par là la mer bleue, par là les monts et les collines aux coteaux verdoyants, parsemés de petits villages de contes de fées... et la campagne, et les prés, le blé qui donne un pain sans sel, miracle pauvre et unique. Notre cuisine reflète tout cela: elle exprime la simplicité, le savoir, la douceur et le bon goût. Il suffit d'en examiner un instant les recettes, le style et les us, la capacité de se transmettre en conservant intact son esprit original tout en s'adaptant aux changements des habitudes et des exigences, pour comprendre que sa vitalité est la conséquence de son authenticité. Et si l'on songe combien peu il faut pour préparer des mets dignes d'un roi, l'on comprend son ingéniosité. Ma cuisine prend racine dans la tradition populaire dont elle reprend le niveau culturel et gastronomique élevé, la rigueur esthétique, le respect pour les choses, qui doivent être manipulées sans que violence leur soit faite, avec sagesse et simplicité. Ici vous ne trouverez pas de sauces qui noient les mets ou de préparations grasses et lourdes: ici l'huile d'olive joue à la perfection son rôle de condiment naturel, exaltant les saveurs sans les émousser, faisant de chaque plat, même le plus pauvre, un mets de roi. Telles sont les saveurs de notre cuisine: bien plus qu'une règle gastronomique, elle est une manière de vivre. Cuisiner équivaut à rendre vie, à donner forme aux ingrédients qui composent notre alimentation: non pas pour survivre mais pour en retirer joie et orgueil. Ce ne sont pas seulement les valeurs gastronomiques, la réussite d'un plat, son goût et son aspect qui comptent: cuisiner est une manière civilisée et cultivée de communiquer; et, dans le cas de notre cuisine toscane, de communiquer de la grâce et de l'élégance.

Toutes les recettes ont été minutieusement contrôlées une à une pour ce livre, que je dois autant à mon mari Pedro qu'à moi-même. Les commentaires suggèrent des variantes, donnent des conseils de préparation et de cuisson, ou indiquent quand et comment la procédure s'éloigne de la recette "orthodoxe", naturellement dans le but d'améliorer ou de simplifier celle-ci. Dans la liste des ingrédients ne figurent pas le sel et le poivre, dont l'utilisation va de soi, tout comme celle de l'eau pour cuire les pâtes ou faire bouillir les aliments; les mentionner serait inutile (mais les recettes indiquent le moment meilleur pour saler et poivrer, de préférence modérément). Le sel figure uniquement, lorsqu'il est nécessaire, dans les ingrédients des desserts et des biscuits. Je vous conseille de lire attentivement la liste des ingrédients (qui s'accompagne des temps nécessaires pour la préparation et la cuisson des plats, de l'indication de leur degré de difficulté, de leur saveur plus ou moins prononcée et de leur apport nutritionnel), puis de bien lire toutes les phases de la recette avant de vous mettre au travail.

Ce livre est dédié à mes fils mais aussi à tous ceux qui aiment être bien, ensemble et à table.

LES CONSEILS DU DIÉTÉTICIEN

L'alimentation méditerranéenne, tout en étant présente sous tous ses aspects traditionnels, n'est pas tout à fait la même dans tous les pays du bassin méditerranéen. Ceci dit, on peut affirmer que la cuisine toscane résume nombre de caractéristiques de cette alimentation. Pour quelles raisons? Avant tout, parce que c'est une nourriture pauvre, faite d'ingrédients simples, non élaborés, qui sait le cas échéant utiliser les restes. On ne saurait nier que les progrès sociaux-économiques des cinquante dernières années ont quelque peu modifié cette caractéristique, donnant lieu à une gastronomie plus riche en protéines et en matières grasses qu'elle ne l'était à l'origine.

Un autre aspect est le déséquilibre entre les éléments nutritifs qui est la carte de visite de la cuisine méditerranéenne: prédilection pour les hydrates de carbone (55-60%), en particulier tirés des céréales et de leurs dérivés; et bonne présence de lipides (30%) et de protéines (20%).

Le troisième aspect est la présence importante de fibres végétales dans les garnitures de légumes verts et de légumes secs. Enfin, l'huile d'olive vierge comme principale source de lipides et en particulier l'acide dit oléique, non saturé (au moins 50% du total de matières grasses), constitue une excellente protection contre l'artériosclérose lorsqu'elle consommée avec modération.

Enfin, un mot sur le vin, qui dans la cuisine toscane est plus qu'un simple accompagnement: il imprègne l'histoire des collines toscanes mais aussi les artères des gourmets, et ne présente que des avantages pour leur santé, à condition là encore de le consommer avec modération!

INDEX DES RECETTES

HORS-D'ŒUVRE ET SAUCES

ENTRÉES

VIANDES ET GIBIER

POISSONS ET MOLLUSQUES

ŒUFS ET OMELETTES

LÉGUMES ET GARNITURES

DESSERTS ET BISCUITS

HORS-D'ŒUVRE ET SAUCES

1

ARINGA SOTT'OLIO

Harengs à l'huile

2 harengs conservés sous sel
2 carottes
1 céleri
quelques oignons blancs
huile d'olive
piment

Portions: 4
Temps de prép.: 20'+24h
Difficulté: ●
Goût: ●●●
Kcal (par portion): 233
Protéines (par portion): 8
Mat. gr. (par portion): 20
Apport nutritionnel: ●●●

Pour cette préparation, choisissez des harengs non fumés et, si possible, avec leurs œufs (et donc des femelles et non des mâles). Retirez-leur les arêtes et lavez-les à l'eau courante; disposez les filets dans un plat profond sur un lit de carottes, de céleri et d'oignons frais finement hachés. Recouvrez le tout d'huile et ajoutez un ou deux piments séchés. Laissez reposer toute une journée avant de les goûter sur du pain (l'idéal est le pain toscan sans sel).

Une touche personnelle: faites cuire quelques pommes de terre assez grosses. Laissez-les refroidir et coupez-les en tranches épaisses. Emiettez les harengs et servez-les sur ces simples "croûtes" de pommes de terre.

Carciofi sott'olio

Artichauts à l'huile

10 artichauts
1 litre de vin blanc
1/2 verre de vinaigre
de vin rouge
2 citrons
10 feuilles de laurier
poivre en grains
huile d'olive

Portions:	**4**
Temps de prép.:	**20'+24h**
Temps de cuisson:	**15'**
Difficulté:	**●**
Goût:	**●●**
Kcal (par portion):	**364**
Protéines (par portion):	**0**
Mat. gr. (par portion):	**20**
Apport nutritionnel:	**●●●**

Nettoyez soigneusement les artichauts en enlevant la pointe des feuilles et plongez-les dans une casserole d'eau acidulée au citron; faites cuire les artichauts dans celle-ci avec le vin blanc, le demi-verre de vinaigre, 2 feuilles de laurier, 10 grains de poivre. Egouttez les artichauts encore fermes et faites-les sécher toute une journée retournés sur un torchon. Mettez en bocaux en alternant artichauts, feuilles de laurier et quelques grains de poivre. Recouvrez le tout d'huile d'excellente qualité et fermez hermétiquement. Si vous le désirez vous pouvez ajouter un piment ou une pincée (mais pas plus...) de graines de fenouil.

Les artichauts sont l'un de mes légumes préférés pour donner du goût à une belle salade de riz ou pour compléter une garniture de légumes froids.

CIPOLLE IN AGRODOLCE

Oignons aigre-doux

1 kg d'oignons rouges
1 verre de vinaigre
de vin rouge
3 cuillerées d'huile d'olive
1 cuillerée de sucre
1 pincée de sel

Portions: 4-6
Temps de prép.: 10'
Temps de cuisson: 3h 10'
Difficulté: ●
Goût: ●●
Kcal (par portion): 147
Protéines (par portion): 2
Mat. gr. (par portion): 10
Apport nutritionnel: ●●

Pour cette recette, l'on pense généralement aux petits oignons blancs, plus "photogéniques", et vos convives pourraient être surpris par ce mystérieux mélange sombre.
Mais lorsqu'on y goûte l'on y retrouve toute la patience, l'expérience et la simplicité de la cuisine toscane.
Un conseil: servez-les avec de la "ricotta", un fromage frais de brebis avec lequel ils se marient de façon insolite.

Blanchissez les oignons en morceaux (éventuellement dans la cocotte-minute) jusqu'à ce qu'ils rendent leur eau.
Versez-les dans une poêle (par tradition toujours la même) et ajoutez tous les ingrédients.
Faites cuire à feu doux et... attendez. Attendez, en remuant souvent le mélange qui changera peu à peu de consistance et de couleur.
Pour un bon résultat (qui dépend bien sûr aussi beaucoup de la qualité des oignons), il faut compter environ trois bonnes heures!

Crostini con i fegatini

Croûtes de foies de volaille

Nettoyez les foies de volaille en leur enlevant la poche de la bile, lavez-les sous l'eau courante et égouttez-les. Coupez l'oignon en tranches fines et faites-le rissoler dans deux cuillerées d'huile d'olive. Lorsqu'il blondit, ajoutez les foies de volaille. En cours de cuisson, mouillez avec le vin liquoreux et assaisonnez d'une pincée de sel et de poivre. Cuisez à feu moyen pendant une demi-heure. En fin de cuisson, ajoutez les câpres essorées. Passez le tout au hachoir. Faites griller des tranches de pain que vous mouillerez à peine de bouillon. Placez sur chaque croûte un peu du mélange et servez. Ces "crostini" sont également bons froids.

300 gr de foies de volaille
un peu de bouillon de viande
1 oignon rouge
1/2 verre de vinsanto
(vin liquoreux)
50 gr de câpres
pain en tranches
huile d'olive

Portions: 4
Temps de prép.: 20'
Temps de cuisson: 35'
Difficulté: ●●
Goût: ●●
Kcal (par portion): 561
Protéines (par portion): 26
Mat. gr. (par portion): 14
Apport nutritionnel: ●●●

Crostini col vinsanto

Croûtes au vinsanto

300 gr de foies de volaille
2 saucisses aillées
1 oignon
1 petite branche de romarin
1/2 litre de vinsanto
pain en tranches
huile d'olive

Portions: 4
Temps de prép.: 15'
Temps de cuisson: 45'
Difficulté: ●●
Goût: ●●
Kcal (par portion): 912
Protéines (par portion): 35
Mat. gr. (par portion): 33
Apport nutritionnel: ●●●

Pour cette préparation raffinée, je me permets de conseiller, une fois n'est pas coutume, non pas le classique pain toscan sans sel, mais une ficelle ou une baguette, plus mœlleuses. En Toscane, le vinsanto se trouve partout, il est même incontournable: des hors-d'œuvre au dessert, il s'adapte à toutes les exigences, sans oublier que c'est une boisson traditionnelle des jours de fête. Ce délicat vin s'obtient d'un moût vieilli à partir de grappes de raisins mises à sécher sur des nattes puis pressées.

Coupez des tranches de pain que vous plongerez dans le vinsanto, un vin liquoreux typiquement toscan. Disposez-les sur un plat de service. Faire rissoler l'oignon haché dans une poêle avec un filet d'huile d'olive. A mi-cuisson, ajoutez les saucisses que vous aurez auparavant émiettées à la main, et faites cuire à feu lent pendant un quart d'heure. Nettoyez soigneusement les foies de volaille sous l'eau courante et ajoutez-les, ainsi que la branche de romarin, aux autres ingrédients; salez, poivrez et faites cuire le tout à feu doux pendant une demi-heure. Enlevez le romarin et hachez le tout. Servez sur les tranches de pain.

CROSTINI DI POLENTA CON SALSICCE

Croûtes de polenta à la saucisse

De nos jours l'on trouve dans le commerce une grande variété de farines de maïs.
Je n'aime guère la plus grosse car l'on obtient un résultat moins digeste et trop rustique pour mon goût.
Pour cette recette j'utiliserais de préférence une farine à grain moyen, bien jaune et non mélangée à d'autres farines.

Préparez la polenta en mélangeant jusqu'à épaississement la farine de maïs à de l'eau sur feu doux sans cesser de remuer avec une cuillère de bois.
Entre temps, faites rissoler l'échalote et l'oignon avec un filet d'huile.
Ajoutez la saucisse émiettée et haussez la flamme pour la faire cuire; ajoutez la pulpe de la tomate et faites réduire.
Etalez une épaisse couche de polenta sur une planche (ou dans un récipient rectangulaire, ce qui est beaucoup plus pratique) et laissez-la refroidir.
Découpez-y des rectangles que vous ferez frire dans l'huile.
Lorsque ceux-ci seront dorés et croquants, recouvrez-les généreusement du mélange et servez bien chaud.

300 gr de farine de maïs
1 oignon rouge
2 échalotes
2 tomates
3 saucisses
huile d'olive

Portions: 4
Temps de prép.: 20+30'
Temps de cuisson: 40'+50'
Difficulté: ●●
Goût: ●●
Kcal (par portion): 672
Protéines (par portion): 20
Mat. gr. (par portion): 39
Apport nutritionnel: ●●●

Ces savoureux "crostini" sont à servir de préférence l'hiver.
Il n'est pas facile de faire frire les tranches de polenta sans les casser. Mais heureusement y a un truc tout simple, qui consiste à laisser bien dorer la croûte de chaque côté avant de retourner la tranche, et à bien chauffer l'huile dont la température doit rester constante.

FETTE COL CAVOLO NERO

Croûtes au "cavolo nero"

2 bottes de "cavolo nero" ou de chou vert
pain rassis
huile d'olive
poivre frais
citron

Portions: 4	
Temps de prép.: 15'	
Temps de cuisson: 30'	
Difficulté: ●	
Goût: ●●●	
Kcal (par portion): 215	
Protéines (par portion): 16	
Mat. gr. (par portion): 10	
Apport nutritionnel: ●●●	

Le "cavolo nero" (brassica oleracea viridis) est une variété de chou à feuilles allongées particulièrement diffusée en Toscane. Cette préparation est fort simple et vous obtiendrez un résultat savoureux, tout comme pour la recette suivante, grâce à la bonté des ingrédients mais aussi à l'attention que vous apporterez à l'exécution.

Faites bouillir les feuilles rugueuses du chou, privées de leurs côtes, pendant environ vingt minutes.

Préparez des tranches de pain grillé (pas trop fines) sur lesquelles vous frotterez des gousses d'ail épluchées. Servez sur ces tranches les feuilles de chou encore ruisselantes d'eau. Assaisonnez généreusement d'huile d'olive, de poivre moulu au dernier moment, de sel et d'une giclée de jus de citron. Dégustez bien chaud.

FETTUNTA

Aillade

Coupez 4 tranches de pain rustique (si possible du pain toscan sans sel), impérativement avec sa croûte.
Faites-les griller; l'idéal est de les griller sur les braises, mais bien sûr vous pouvez aussi utiliser un simple gril. Frottez-les ensuite des deux côtés avec une gousse d'ail épluchée.
Enfin, arrosez-les de bonne huile toscane, unique et irremplaçable, assaisonnez d'une pincée de sel et mangez bien chaud (rien n'est pire qu'une fettunta froide). C'est l'équivalent de notre aillade.

4 tranches de pain
gousses d'ail
huile d'olive

Portions: 4
Temps de prép.: 10'
Temps de cuisson: 10'
Difficulté: ●
Goût: ●●●
Kcal (par portion): 205
Protéines (par portion): 15
Mat. gr. (par portion): 10
Apport nutritionnel: ●●●

Dès que mes enfants ont eu un an, leur grand-mère a toujours recommandé de leur donner du pain arrosé d'huile pour le goûter, à la barbe de la société de consommation et des goûters de fabrication industrielle. Et elle avait bien raison. Les choses bonnes et simples, tout comme les grand-mères, sont éternelles. La fettunta est de rigueur en novembre, lorsque l'huile nouvelle sort du pressoir; en été elle est parfaite comme hors-d'œuvre, comme goûter, enrichie de tranches de tomates et de basilic haché. Ici aussi, il est indispensable d'utiliser de l'excellente huile.

Fiori di zucca fritti

Fleurs de courgettes frites

12 fleurs de courgettes
bien fraîches
2 œufs
150 gr de farine
huile d'olive

Portions: 4
Temps de prép.: 20'+30'
Temps de cuisson: 20'
Difficulté: ●●
Goût: ●●
Kcal (par portion): 440
Protéines (par portion): 10
Mat. gr. (par portion): 31
Apport nutritionnel: ●●●

Une variante dans la preparation de la pâte à frire, surtout diffusée dans les restaurants, consiste à utiliser non pas des œufs entiers mais seulement le blanc. L'on obtient ainsi un mélange plus mousseux, et aussi plus spectaculaire, qui formera une sorte de toile d'araignée sur les fleurs frites (l'on obtient le même résultat en ajoutant un demi-verre de bière blonde à l'eau). Mais je trouve que la pâte dont j'ai indiqué la recette est la plus appropriée, en particulier pour les fleurs de courgettes qu'elle recouvrira avec légèreté, leur donnant une consistance à la fois croquante et fine.

La réussite de cette recette dépend essentiellement de la fraîcheur des fleurs; ce qui signifie que c'est un plat que l'on ne pourra cuisiner qu'au printemps ou en été, que l'on ait ou non un jardin potager. Avec délicatesse, ôtez aux fleurs leur pistil et les petites feuilles vertes extérieures.
Préparez ensuite la pâte à frire comme suit: battez brièvement les œufs avec une pincée de sel, incorporez la farine et battez au fouet pour éviter les grumeaux. Ajoutez alors de l'eau jusqu'à obtention d'une pâte homogène et plutôt liquide. Laissez reposer la pâte ainsi obtenue pendant environ 30 minutes.
Plongez-y alors les fleurs de courgettes que vous égoutterez ensuite soigneusement en les tenant renversées. Faites-les frire dans l'huile bouillante en retournant délicatement avec deux fourchettes.
Servez-les impérativement bouillantes et bien croquantes. C'est un régal.

Fiori ripieni

Fleurs de courgettes farcies

Lavez avec soin les fleurs, que vous aurez choisies très fraîches et plutôt grosses. Vous pouvez préparer la farce en mélangeant la béchamel à un reste de viande, bouillie ou en sauce, que vous hacherez, ou à de la viande hachée crue. Dans ce cas, vous la ferez revenir à feu vif dans une cuillerée d'huile pendant une dizaine de minutes, en ayant soin de la laisser refroidir avant de la mélanger à la béchamel. Liez la farce avec deux œufs battus, salez, poivrez et ajoutez du persil haché. Une fois votre pâte à frire prête, ouvrez les fleurs avec les mains et remplissez-les délicatement avec le mélange (environ une cuillerée par fleur), puis passez-les dans la pâte à frire en les faisant rouler; faites frire aussitôt. Une alternative savoureuse à la farce de viande consiste à utiliser de la mozzarella et un filet d'anchois sans arêtes et coupé en petits morceaux. Après avoir haché la mozzarella, ajoutez l'anchois, 2 cuillerées de béchamel et une poignée de pain dur que vous aurez amolli dans du lait et bien exprimé. Liez le tout avec un œuf battu et faites frire les fleurs.

20 fleurs de courgettes grandes et fraîches
200 gr de viande hachée bien maigre (ou de la viande bouillie ou en sauce)
pâte à frire (voir recette page précédente)
2 œufs
persil
huile d'olive

Pour la béchamel:
3,5 dl de lait
20 gr de beurre
20 gr de farine

Portions: 4
Temps de préparation: 25'
Temps de cuisson: 30'+15'
Difficulté: ●●●
Goût: ●●
Kcal (par portion): 527
Protéines (par portion): 19
Mat. gr. (par portion): 37
Apport nutritionnel: ●●●

Pour préparer la béchamel, mélangez petit à petit, dans une petite casserole, la farine au beurre fondu. Assaisonnez d'une pincée de sel et, sans cesser de mélanger, ajoutez peu à peu le lait. Laissez cuire à feu moyen pendant une vingtaine de minutes.

INSALATA DI BACCELLI E PECORINO

Salade de "baccelli" et de "pecorino"

2 kg de fèves fraîches (à écosser)
"pecorino" ou fromage de brebis frais (pas trop fait)
1 bouquet de basilic ou de "nepitella"
huile d'olive

Portions: 6
Temps de préparation: 15'
Temps de cuisson: 10'
Difficulté: ●
Goût: ●●
Kcal (par portion): 614
Protéines (par portion): 39
Mat. gr. (par portion): 27
Apport nutritionnel: ●●●

La "nepitella" est de la calamintha ou calament, une petite plante qui ressemble à la menthe pouliot. Prenez un beau panier de "baccelli" ou fèves, de préférence petites et bien fraîches (elles le sont si lorsqu'on ouvre l'écosse celle-ci "chante" avec un bruit craquant et joyeux); enlevez-leur le pédoncule, lavez-les et mettez-les dans une casserole avec un filet d'huile, une poignée de basilic (ou de "nepitella"). Couvrez et faites bouillir quelques minutes. En fin de cuisson, les fèves devront être ratatinées mais encore résistantes sous la dent. Egouttez et laissez refroidir. Dans un saladier, préparez de fines lamelles de fromage de brebis (il doit être frais, absolument pas fait). Mélangez avec les fèves, versez deux cuillerées d'huile et salez.
Pour une pointe de couleur, qui ne gâte rien même en cuisine, j'ajoute aussi une poignée de "radicchio rosso" ou trévise et une poignée de radis coupés en rondelles.

LINGUA ALL'ARANCIO

Langue à l'orange

Faites bouillir la langue dans une grande quantité d'eau avec le bouquet garni. Sortez-la de l'eau lorsqu'elle est bien cuite (vous le saurez en piquant la partie postérieure avec une fourchette; si elle est cuite, elle ne saignera pas, autrement remettez-la à cuire). Epluchez-la aussitôt et laissez-la bien refroidir. Coupez-la ensuite en tranches très fines. Dans un saladier, préparez la marinade avec les tranches d'oranges coupées en fines lamelles, leur jus, le vinaigre, et disposez-y les tranches de langue que vous recouvrirez d'huile. Salez, poivrez. Laissez reposer le plus longtemps possible pour que la viande prenne bien goût, sans oublier de retourner les tranches de temps à autre.

1 langue de veau plutôt petite
1 verre de vinaigre de vin rouge
l'écorce (sans filaments blancs) et le jus de 2 oranges
huile d'olive
bouquet garni

Portions: 6
Temps de préparation: 20'+6h
Temps de cuisson: 1h
Difficulté: ●●
Goût: ●●
Kcal (par portion): 239
Protéines (par portion): 9
Mat. gr. (par portion): 18
Apport nutritionnel: ●●●

Bien que la langue soit habituellement utilisée en plat principal, ou dans le traditionnel pot-au-feu, cette recette la propose en hors-d'œuvre car la marinade à l'orange lui donne un goût frais et piquant tout à fait adapté à une entrée élégante et légère.

PAN DI FEGATI

Pain de foie

600 gr de foies de poulet, de veau et de porc
quelques feuilles de laurier
1/2 pain rassis
5 œufs entiers
1/2 verre de brandy
1 verre de lait
1 belle noix de beurre

Portions: 6
Temps de préparation: 20'+30'
Temps de cuisson: 2h 30'
Difficulté: ●●●
Goût: ●●
Kcal (par portion): 870
Protéines (par portion): 60
Mat. gr. (par portion): 29
Apport nutritionnel: ●●●

Mettez la mie de pain à tremper dans le lait, puis pressez-la bien. Après les avoir nettoyés, coupez les foies en petits morceaux et mettez-les dans une casserole avec du beurre, du sel et du poivre et faites cuire à four moyen pendant environ une demi-heure. Mouillez avec le brandy, faites évaporer celui-ci et ôtez du feu. Emiettez le pain entre vos mains et mélangez-le aux œufs battus. Passez les foies au mixer jusqu'à obtention d'un mélange homogène que vous ajouterez délicatement aux autres ingrédients. Tapissez de feuilles de laurier le fond d'un moule rectangulaire allant au four. Versez-y lentement le mélange et faites cuire au bain-marie à four moyen pendant deux heures environ. Au terme de la cuisson, laissez refroidir (mais pas complètement) et renversez sur un plat de service.

Ce hors-d'œuvre (assez raffiné) typique de la tradition toscane ne se trouve plus guère sur les tables familiales ou dans les restaurants, car il est l'apanage de cuisiniers d'un certain niveau. Pour détacher votre pain des bords du moule, passez-y la lame d'un couteau. Vous pourrez également le servir accompagné de cubes de gélatine pour lui donner du brillant. Il s'agit d'un plat important et qui trouvera sa place dans un repas de fête.

Vue aérienne de Florence, avec la cathédrale et le campanile de Giotto.

PANZANELLA

1 pain toscan rassis
1 gros oignon rouge
2 tomates
du basilic en abondance
huile d'olive

Portions: 4-6
Temps de préparation: 5'+15'
Difficulté: ●
Goût: ●●
Kcal (par portion): 435
Protéines (par portion): 11
Mat. gr. (par portion): 10
Apport nutritionnel: ●●●

Pour cette recette, il suffit d'avoir du pain de ménage: coupez-le en tranches que vous mettrez dans un récipient plein d'eau. Dans un saladier, versez l'oignon et la tomate coupés en tranches très fines et deux poignées de basilic haché. Essorez bien le pain et ajoutez-le. Versez l'huile et le vinaigre, salez et poivrez et mélangez bien le tout.

Ce plat est fort simple, mais il est indispensable que le pain soit bien rassis et ensuite bien essoré (le pain toscan est un pain blanc sans sel). L'on pourra mettre cette "panzanella" au réfrigérateur et la manger le lendemain, elle n'en sera que meilleure. Il en existe naturellement des versions plus compliquées; dans la plupart l'on ajoute des concombres. Mais chez moi la "panzanella" s'est toujours mangée ainsi... Tout au plus on peut ajouter des herbes aromatiques comme la "nepitella" ou le "pepolino" (du thym).

De tout temps la douceur des collines toscanes a inspiré les artistes.

PESCE FINTO

Faux poisson

500 gr de pommes de terre jaunes farineuses
1 cuillerée à soupe de thon à l'huile d'olive
2 cuillerées de mayonnaise
10 cornichons au vinaigre
1 poivron rouge
1 olive entière

Portions: 4
Temps de préparation: 30'
Temps de cuisson: 30'
Difficulté: ●●
Goût: ●●
Kcal (par portion): 178
Protéines (par portion): 4
Mat. gr. (par portion): 8
Apport nutritionnel: ●●

Pour cette recette, les ingrédients ne vous suffiront pas. Il vous faudra y mettre de la fantaisie... Faites bouillir les pommes de terre jusqu'à ce qu'elles se défassent et écrasez-les aussitôt à la fourchette. Lorsqu'elles auront refroidi, ajoutez-y le thon (égoutté au préalable), la mayonnaise (que vous aurez pris soin de faire légère, avec beaucoup de citron). Mélangez le tout. Salez et poivrez, puis... amusez-vous. Trouvez un beau plat oblong ou rond, peu importe car ce "poisson" prendra la forme que vous voudrez lui donner. Avec les mains (ici nous retombons un peu en enfance), vous prendrez le mélange et vous lui donnerez la forme d'un poisson. Avec les cornichons au vinaigre coupés en fines rondelles vous ferez les écailles en partant de la queue, avec le poivron rouge une belle bouche souriante et une longue queue majestueuse... L'olive noire sera quant à elle un œil coquin.

TONDONE ALL'ALLORO

Couronne au laurier

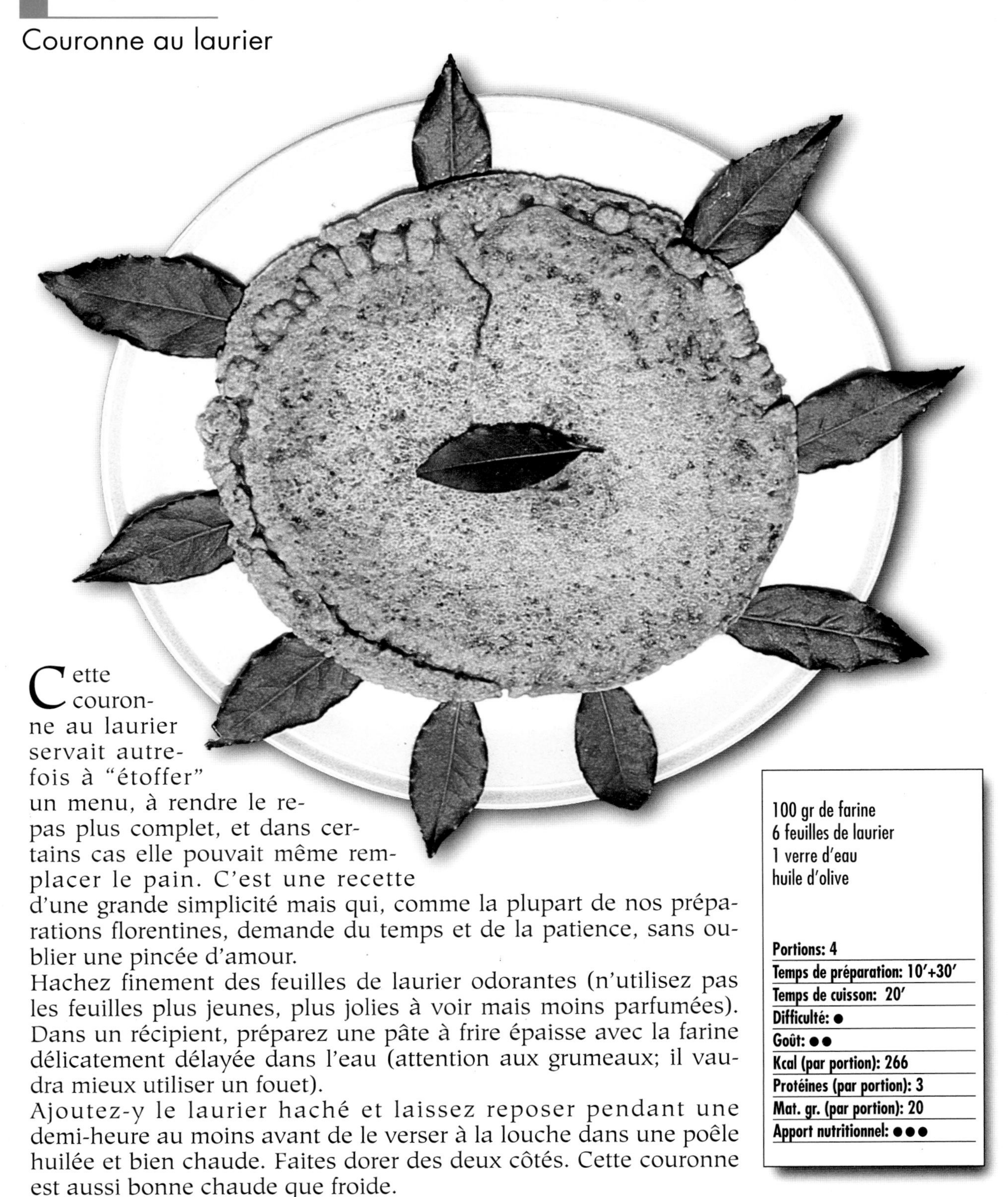

Cette couronne au laurier servait autrefois à "étoffer" un menu, à rendre le repas plus complet, et dans certains cas elle pouvait même remplacer le pain. C'est une recette d'une grande simplicité mais qui, comme la plupart de nos préparations florentines, demande du temps et de la patience, sans oublier une pincée d'amour.

Hachez finement des feuilles de laurier odorantes (n'utilisez pas les feuilles plus jeunes, plus jolies à voir mais moins parfumées). Dans un récipient, préparez une pâte à frire épaisse avec la farine délicatement délayée dans l'eau (attention aux grumeaux; il vaudra mieux utiliser un fouet).

Ajoutez-y le laurier haché et laissez reposer pendant une demi-heure au moins avant de le verser à la louche dans une poêle huilée et bien chaude. Faites dorer des deux côtés. Cette couronne est aussi bonne chaude que froide.

100 gr de farine
6 feuilles de laurier
1 verre d'eau
huile d'olive

Portions: 4
Temps de préparation: 10'+30'
Temps de cuisson: 20'
Difficulté: ●
Goût: ●●
Kcal (par portion): 266
Protéines (par portion): 3
Mat. gr. (par portion): 20
Apport nutritionnel: ●●●

TONNO CON LA CIPOLLA E I FAGIOLI

Thon aux oignons et aux haricots

800 gr de haricots (300 gr s'ils sont secs)
2 oignons rouges de taille moyenne
200 gr de thon à l'huile d'olive
huile d'olive
sel et poivre

Portions: 4-6
Temps de préparation: 15′
Temps de cuisson: 40′
Difficulté: ●
Goût: ●●●
Kcal (par portion): 554
Protéines (par portion): 25
Mat. gr. (par portion): 19
Apport nutritionnel: ●●●

Faites cuire les haricots pendant 40 minutes s'ils sont frais et pendant deux heures s'ils sont secs, auquel cas vous les aurez mis à tremper pendant 1/2 heure (pour la préparation des haricots, voir la recette correspondante). Coupez l'oignon en tranches très fines et mélangez-le au thon que vous aurez émietté avec les mains. Mettez le tout dans un saladier, ajoutez les haricots froids et bien égouttés. Assaisonnez avec de l'huile, du sel et du poivre à peine moulu.

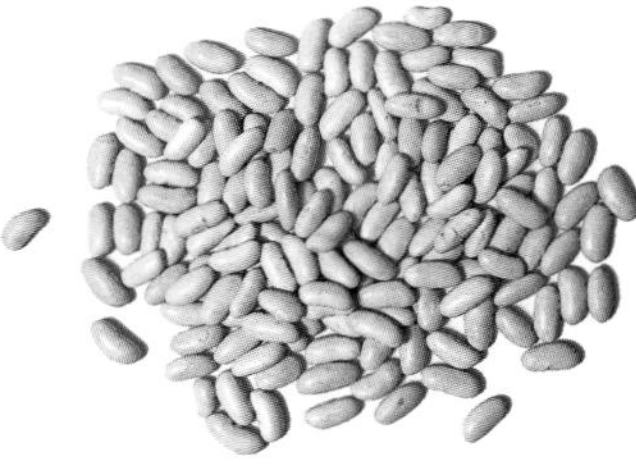

SALSA ALLA TOSCANA

Sauce à la toscane

50 gr de lard
1 oignon
1 branche de céleri
1 carotte
50 gr de jambon cuit
1 bolet
1/2 litre de bouillon de viande
1 noix de beurre
huile d'olive

Portions: 4
Temps de préparation: 20'
Temps de cuisson: 30'
Difficulté: ●●
Goût: ●●
Kcal (par portion): 318
Protéines (par portion): 4
Mat. gr. (par portion): 31
Apport nutritionnel: ●●●

Faites fondre le lard dans une casserole et ajoutez le céleri, l'oignon et la carotte hachés menus; lorsque ces derniers auront blondi, ajoutez le jambon cuit coupé en lamelles et auquel vous aurez enlevé le gras. Remuez, salez et poivrez.
Ajoutez maintenant le bolet, au préalable débarrassé de sa terre au moyen d'un linge humide et coupé en fines lamelles, mouillez ensuite avec le bouillon et laissez cuire lentement en mélangeant souvent avec une cuillère de bois pour bien amalgamer et faire prendre goût aux ingrédients.
Laissez cuire à feu doux pendant 15-20 minutes, puis dégraissez et passez au tamis: remettez ensuite à cuire sur feu très doux et, si nécessaire, ajoutez une noix de beurre pour bien lier le tout.

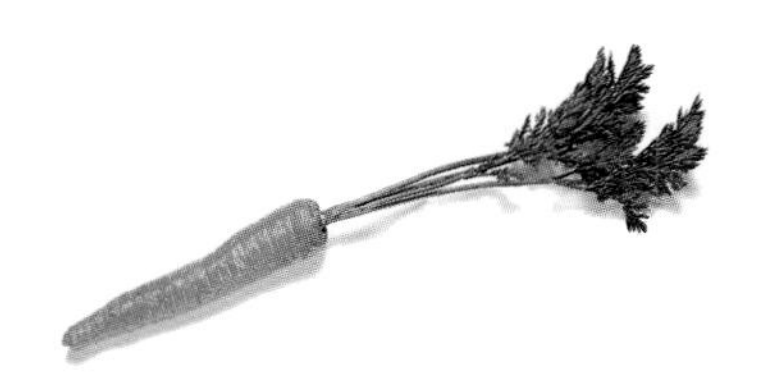

SALSA DI POMODORO

Sauce tomate

2 kg de tomates mûres
2 oignons
1 carotte
2 branches de céleri
huile d'olive

Portions: 4-6
Temps de préparation: 10'
Temps de cuisson: 30'
Difficulté: ●●
Goût: ●●
Kcal (par portion): 163
Protéines (par portion): 3
Mat. gr. (par portion): 10
Apport nutritionnel: ●

Lavez les tomates et ôtez-leur leurs pépins: découpez-les en morceaux et placez-les dans une grande casserole avec l'oignon, la carotte et le céleri coupés fin. Mettez à cuire à feu doux et augmentez progressivement l'ébullition. Selon que les tomates seront plus ou moins mûres, vous devrez peu à peu enlever l'eau en excédent avec une louche, afin de ne laisser bouillonner dans la casserole que leur pulpe et les aromates. Au fur et à mesure que les tomates se défont, baissez la flamme, puis ajoutez un filet d'huile et une pincée de sel. Laissez encore mijoter pendant 20 minutes. Laissez reposer un peu, puis passez la sauce à la moulinette. Laissez-la refroidir complètement et distribuez-la dans des pots que vous fermerez hermétiquement. Si c'est la saison du basilic, vous pourrez en ajouter une poignée aux autres aromates pour la cuisson, et en glisser quelques feuilles entières dans les pots. L'hiver sera égayé par le goût et la couleur de ces conserves.
Je conseille d'utiliser les tomates "florentines", c'est-à-dire ces fruits charnus et biscornus qui rappellent quelque peu une pomme ou mieux une très petite citrouille; en effet elles sont douces et pulpeuses et à mon avis parfaitement adaptées à des sauces, plus encore peut-être que les célèbres "San Marzano", dont les fruits lisses ont une forme allongée (je dis cela pour ceux qui, n'habitant pas Florence ou ses environs, se préoccuperont de trouver sur place les tomates les plus aptes à remplacer mes bien-aimées "florentines").

SALSA VERDE

Persillade

Lavez le persil et hachez-le finement avec les autres ingrédients, en ayant soin de bien égoutter les câpres. Versez le tout dans un récipient et ajoutez 4 cuillerées d'huile, le vinaigre et une pincée de thym (pas plus, son parfum est très fort). Liez la sauce en la tournant et ajoutez du vinaigre si nécessaire.
Vous pourrez donner cette sauce en accompagnement de viandes bouillies ou en faire d'exquises croûtes, en utilisant du pain toscan non grillé.

1 bouquet de persil
100 gr de câpres au vinaigre
3 œufs durs
1 pincée de thym
1 ou 2 cuillerées de vinaigre de vin rouge
huile d'olive

Portions: 4
Temps de préparation: 15'
Difficulté: ●
Goût: ●●●
Kcal (par portion): 209
Protéines (par portion): 8
Mat. gr. (par portion): 16
Apport nutritionnel: ●●●

SALSA VERDE ESTIVA

Persillade d'été

Nettoyez les herbes de leurs tiges; vous n'utiliserez que les feuilles, lavées à l'eau courante et séchées dans un linge de toile. Epluchez les œufs durs et, au mixer, amalgamez les ingrédients en liant avec le beurre amolli et quelques gouttes de jus de citron. Salez et poivrez, pas trop pour ne pas masquer le délicat parfum des herbes.
C'est un accompagnement exquis pour des viandes, même grillées, ou des légumes cuits à l'eau, en particulier les pommes de terre.

Il existe d'innombrables variantes de cette sauce. Elle est indiquée pour la saison chaude, lorsque des herbes comme la menthe pouliot se cueillent aisément au bord des chemins de campagne ou se trouvent chez les bons marchands de légumes.

1 bouquet de chacune des herbes suivantes: calamintha, persil, menthe pouliot, basilic
2 œufs durs
100 gr de beurre
1 citron

Portions: 4
Temps de préparation: 15'
Temps de cuisson: 7' (pour les œufs)
Difficulté: ●
Goût: ●●
Kcal (par portion): 308
Protéines (par portion): 7
Mat. gr. (par portion): 30
Apport nutritionnel: ●●●

SUGO CON LE OLIVE

Sauce aux olives

100 gr d'olives noires non salées
100 gr d'olives vertes
50 gr d'olives vertes aillées
4 oignons rouges
2 gousses d'ail
1 litre de purée de tomates (ou de tomates entières pelées)
huile d'olive
piment

Portions: 6
Temps de préparation: 20'
Temps de cuisson: 1h 20'
Difficulté: ●●
Goût:●●●
Kcal (par portion): 336
Protéines (par portion): 5
Mat. gr. (par portion): 27
Apport nutritionnel: ●●●

Hachez grossièrement les oignons et l'ail et faites-les revenir dans une casserole avec 8 cuillerées d'huile.
Entre temps dénoyautez toutes les olives et coupez-les en morceaux pas trop petits, puis ajoutez-les aux oignons lorsque ceux-ci auront blondi. Laissez cuire à four moyen pendant un quart d'heure environ en remuant sans cesse, de façon à amalgamer très bien les olives avec l'oignon et l'ail.
Ajoutez ensuite la purée de tomates ou les tomates pelées. Maintenant mettez votre casserole à feu moyen, tournez souvent et ajoutez du sel et une bonne dose de piment: faites mitonner encore pendant environ une heure.
C'est une sauce parfaite pour des pâtes courtes comme les "penne" ou - encore mieux - les "rigatoni", des pâtes cylindriques cannelées, qui sont celles qui s'en imprègneront le mieux.

Entrées

2

ACQUACOTTA

Soupe de la Maremme

3 oignons rouges
1 poivron jaune
1 branche de céleri
3 tomates bien mûres
8 tranches de pain toscan rassis
4 jaunes d'œuf
fromage de chèvre demi-fait râpé
huile d'olive

Portions: 4
Temps de préparation: 15'
Temps de cuisson: 1h 15'
Difficulté: ●●
Goût:●●●
Kcal (par portion): 560
Protéines (par portion): 20
Mat. gr. (par portion): 17
Apport nutritionnel: ●●●

Hachez grossièrement les oignons, le poivron et le céleri. Dans un récipient à fond épais, faites revenir l'oignon, laissez blondir, ajoutez le poivron et le céleri puis la pulpe de tomate. Laissez cuire lentement pendant une heure environ. Versez le tout dans un fait-tout (de préférence en terre) et ajoutez un litre d'eau environ. Faites bouillir encore pendant une dizaine de minutes; entre temps, vous aurez disposé des tranches de pain grillé dans des assiettes creuses dans lesquelles vous verserez l'"acquacotta". Dans chaque assiette, versez un jaune d'œuf sans le briser. Laissez reposer un instant et servez, saupoudré de fromage de chèvre râpé.

Un gardian en Maremme; à l'arrière-plan, un splendide coucher de soleil sur le Parc naturel de l'Uccellina.

Avec son fichu sur la tête, la vieille dame toute ridée qui me fournit les œufs frais (rien ne vaut un œuf frais) semble tout droit sortie d'une gravure ancienne. Cette version de l'"acquacotta", un plat originaire de Maremme, est facile à réaliser et ses ingrédients sont fort simples. L'on peut en utiliser d'autres, plus "spectaculaires", mais je crois que ma recette a le mérite d'être délicieuse sans être trop difficile.

CARABACCIA ▸

Soupe à l'oignon

1 kg d'oignons blancs
150 gr de petits pois et autres légumes
1 céleri
1 carotte
1/2 litre de bouillon de volaille
pain toscan
1 verre de vin blanc
huile d'olive
parmesan

Portions: 4
Temps de préparation: 15'
Temps de cuisson: 55'
Difficulté: ●●
Goût: ●●
Kcal (par portion): 412
Protéines (par portion): 14
Mat. gr. (par portion): 11
Apport nutritionnel: ●●

Hachez menu l'oignon, le céleri et la carotte et faites-les cuire avec 6 cuillerées d'huile, de préférence dans un récipient de terre.
Faites mijoter doucement pendant 40 minutes environ jusqu'à ce que les légumes aient rendu toute leur eau.
Ajoutez alors les petits pois et finissez de cuire.
Faites griller le pain, mouillez-le avec de l'eau bouillante et disposez-le dans des assiettes creuses dans lesquelles vous verserez cette "carabaccia". Saupoudrez généreusement de parmesan râpé.

CIBREO

Fricassée de poulet

400 gr de foies de volaille
"fagioli" et "ovetti" (œufs de poule non pondus), crêtes
3 jaunes d'œuf
50 gr de beurre
1 oignon
farine
un peu de bouillon
1 citron
sauge
gingembre

Portions: 4
Temps de préparation: 30'
Temps de cuisson: 20'+15'
Difficulté: ●●
Goût: ●
Kcal (par portion): 365
Protéines (par portion): 29
Mat. gr. (par portion): 22
Apport nutritionnel: ●●

Dans une casserole, faites revenir l'oignon haché fin: dès qu'il prend couleur, ajoutez les abattis (foies débarrassés de leur fiel, "ovetti", crêtes que vous aurez au préalable ébouillantées, écorchées et bien enfarinées; vous n'ajouterez les "ovetti" qu'à la fin). Faites cuire à feu doux en mouillant de temps à autre avec le bouillon.
En fin de cuisson (c'est-à-dire après 20 minutes environ), ôtez du feu; battez à part les jaunes d'œuf avec du jus de citron et versez aussitôt sur les abattis.
Ce "cibreo", dont la préparation est celle d'une fricassée, est d'une délicatesse infinie et constituera une entrée remarquée. Vous aurez soin de le manger encore fumant.

Au fil des siècles, cette soupe exquise qui à la Renaissance comprenait également des amandes, du sucre, de la cannelle et du vinaigre a subi des modifications et des simplifications. L'on peut dire que ce processus séculaire de "rationalisation", par lequel sont d'ailleurs passés beaucoup d'autres plats de notre cuisine traditionnelle, a servi à mettre en valeur toute la saveur de la "carabaccia", celle des oignons et des autres légumes, le résultat étant un plat qui n'a rien à envier à la meilleure soupe à l'oignon française. A la recette "moderne", dans laquelle les petits pois sont cuits séparément et ensuite ajoutés en partie entiers et en partie passés à la moulinette, je préfère quant à moi mon interprétation fort personnelle, dans laquelle les petits pois sont laissés entiers et cuisent avec le reste. A la fin, pour mouiller le pain, je conseille d'ajouter à l'eau chaude un verre de vin blanc qui apportera la touche finale à cette ancienne recette.

CRESPELLE ALLA FIORENTINA

Crêpes à la florentine

Pour la farce:
150 gr de "ricotta" fraîche de première qualité
2 œufs
200 gr d'épinards
1 poignée de parmesan râpé
noix de muscade

Pour les crêpes:
60 gr de farine
2 œufs
1 verre de lait
20 gr de beurre

Portions: 4
Temps de préparation: 20'+30'
Temps de cuisson: 50'+15'
Difficulté: ●●●
Goût: ●●
Kcal (par portion): 472
Protéines (par portion): 34
Mat. gr. (par portion): 34
Apport nutritionnel: ●●●

Avant tout, faites cuire les épinards à l'eau, essorez-les bien et mettez-les dans un récipient avec la ricotta, le parmesan et un peu de noix de muscade râpée. Mélangez jusqu'à obtention d'un mélange homogène.
Préparez la pâte à crêpes en incorporant d'abord l'œuf et le sel à la farine puis en y ajoutant le lait et le beurre fondu.
Laissez reposer encore une demi-heure. Après avoir fait cuire des deux côtés les crêpes dans une poêle avec un peu de beurre, étalez sur chacune d'entre elles un peu de farce d'épinards et ricotta, puis roulez-les.
Beurrez un plat allant au four, disposez-y les crêpes, recouvrez de sauce béchamel (voir p. 17) et saupoudrez généreusement de parmesan râpé, après avoir éventuellement parsemé de cuillerées de sauce tomate.
Passez à four chaud pendant 20 minutes et laissez bien gratiner.
La ricotta, que l'on trouve en dehors de l'Italie dans les magasins spécialisés, est obtenue à partir du sérum restant de la fabrication d'autres fromages de brebis.

Ces crêpes simples et savoureuses sont de nos jours malheureusement servies elles aussi de manières diverses et pas toujours heureuses. Mais j'ai donné ici la recette originale. Une variante acceptable pourrait être de mêler aux épinards des herbes aromatiques qui donneront un goût suave, mais ce uniquement en été lorsque les parfums des herbes sont à leur apogée.

GNOCCHI DI PATATE

Gnocchis de pommes de terre

1 kg de pommes de terre
250 gr de farine
2 œufs

Portions: 4
Temps de préparation: 30'
Temps de cuisson: 40'
Difficulté: ●●●
Goût: ●●
Kcal (par portion): 493
Protéines (par portion): 17
Mat. gr. (par portion): 8
Apport nutritionnel: ●●

Placez les pommes de terre dans de l'eau froide. Vous pouvez, si vous ne voulez pas vous brûler les doigts, les éplucher avant de les cuire, mais elles conserveront mieux leur consistance farineuse si vous les épluchez cuites, encore chaudes.
Faites-les cuire pendant une demi-heure à feu moyen, puis épluchez-les en les tenant dans un linge pour ne pas vous brûler et passez-les à la moulinette; étalez cette purée sur une planche ou sur une table de cuisine.
Ajoutez peu à peu la farine, puis un œuf entier et un jaune, un peu de sel, et pétrissez le tout dans vos mains jusqu'à obtention d'une pâte souple (si celle-ci collait aux doigts, ajoutez en pluie de la farine que vous incorporerez peu à peu).
Façonnez de longs bâtonnets dans lesquels vous découperez obliquement des morceaux réguliers de deux centimètres de long chacun. Placez-les au fur et à mesure sur un linge et saupoudrez-les de farine.
Faites-les cuire dans de l'eau légèrement salée et assaisonnez de sauce de viande ou tout simplement de beurre et de sauge, mais en tout cas ne manquez pas, avant de les servir, de les saupoudrer abondamment de parmesan fraîchement râpé.

MINESTRA CON LE PATATE

Soupe de pommes de terre

600 gr de pommes de terre
1 oignon rouge
1 carotte
1 branche de céleri
2 tomates mûres
parmesan râpé
pain toscan
1/2 verre de vin blanc
huile d'olive

Portions: 4
Temps de préparation: 10′
Temps de cuisson: 1h 25′
Difficulté: ●●
Goût: ●●
Kcal (par portion): 444
Protéines (par portion): 13
Mat. gr. (par portion): 13
Apport nutritionnel: ●●

Dans une casserole, mettez 6 cuillerées d'huile, les pommes de terre coupées en gros morceaux, l'oignon, la carotte et le céleri. Portez à ébullition à feu doux, puis ajoutez environ un litre et demi d'eau, du sel, du poivre et le vin blanc. Laissez mijoter pendant à peu près une heure, en ajoutant en cours de cuisson 2 cuillerées d'huile. Passez à la moulinette et remettez sur le feu pendant encore une vingtaine de minutes.
Faites griller les tranches de pain, coupez-les en dés (ou encore faites rissoler dans de l'huile d'olive de petits croûtons de pain), à raison d'une poignée pour chaque convive. Versez dans des assiettes creuses et saupoudrez généreusement de parmesan.

MINESTRA DI CECI E PEPERONI

Soupe de pois chiches et de poivrons

Mettez les pois chiches à tremper toute une nuit dans de l'eau froide avec une cuillerée de bicarbonate et une cuillerée de gros sel. Le lendemain rincez-les et mettez-les à cuire dans de l'eau tiède.
Ajoutez la poitrine fumée coupée en lanières, les feuilles de laurier et le thym. Faites cuire doucement et à couvert pendant 2 heures.
Dans un récipient à fond épais, mettez à blondir l'oignon dans 6 cuillerées d'huile, puis ajoutez les pommes de terre coupées en dés, les poivrons (bien lavés et débarrassés de leurs graines et des parties blanches) coupés en fines lamelles, la carotte finement hachée et les tomates en morceaux.
A partir de l'ébullition, laissez cuire pendant un quart d'heure à feu moyen sans cesser de remuer avec une cuillère en bois. Dès que les pois chiches sont cuits, versez dans leur casserole la sauce ainsi obtenue et remuez délicatement. Servez saupoudré de persil haché.
Cette soupe, qui allie de façon inhabituelle les différents goûts, n'est bonne que servie bien chaude.

300 gr de pois chiches
100 gr de poitrine fumée
1 oignon rouge
1 poivron rouge, 2 poivrons verts
1 carotte
2 pommes de terre
3 tomates bien mûres
2 feuilles de laurier
un peu de thym
1 gousse d'ail
persil
huile d'olive

Portions: 4-6
Temps de préparation: 15'+8h
Temps de cuisson: 2h env.
Difficulté: ●●
Goût: ●●●
Kcal (par portion): 927
Protéines (par portion): 21
Mat. gr. (par portion): 63
Apport nutritionnel: ●●●

MINESTRA DI FARRO

Soupe d'épeautre

200 gr d'épeautre
200 gr de haricots secs
1/2 oignon
romarin
sauge
2 gousses d'ail
4 tranches de pain
de campagne
huile d'olive

Portions: 4
Temps de préparation: 15'+6h
Temps de cuisson: 1h 40'
Difficulté: ●●
Goût: ●●
Kcal (par portion): 582
Protéines (par portion): 25
Mat. gr. (par portion): 12
Apport nutritionnel: ●●

Faites tremper les haricots pendant 5-6 heures. Egouttez-les, en gardant l'eau de trempage. Versez-les dans une grande casserole pleine d'eau froide et faites-les cuire à feu très doux pendant une bonne demi-heure. Entre temps, hachez fin l'oignon, l'ail, le romarin et la sauge et faites fondre ce hachis dans une casserole avec 5-6 cuillerées d'huile d'olive.
Ajoutez l'épeautre et laissez-le "griller" pendant quelques minutes; puis versez l'eau de trempage des haricots et laissez cuire tout doucement pendant une bonne heure.
A mi-cuisson, ajoutez 3/4 des haricots; passez le reste à la moulinette et ajoutez-le en fin de cuisson pour rendre la soupe plus dense. Laissez reposer quelques minutes et servez, saupoudré de poivre fraîchement moulu et arrosé d'un filet d'huile d'olive.
Placez dans l'assiette de chaque convive une tranche de pain grillé et frotté d'ail.

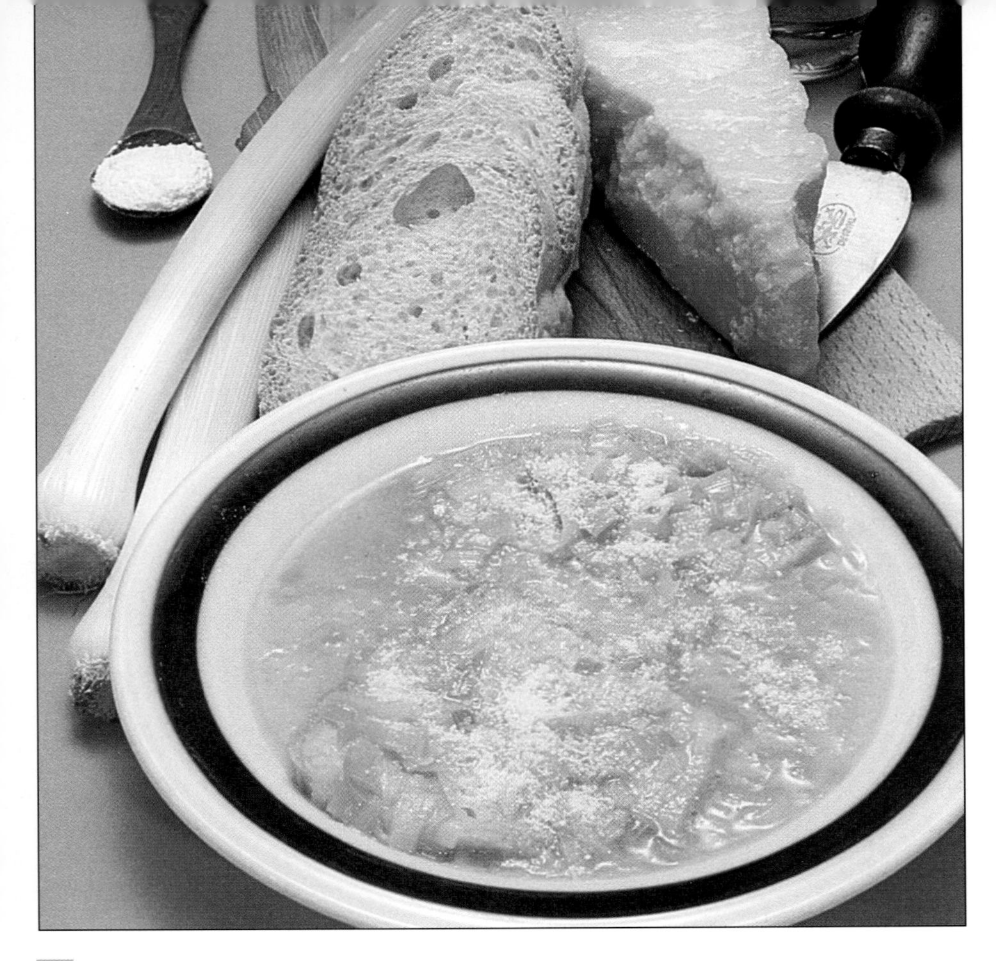

Dans la recette traditionnelle l'on ajoutait les pignons en même temps que le parmesan avant de passer la soupe de poireaux au four. Probablement le but était de donner un air d'été à ce plat caractéristique de la Saint Laurent, le 10 août, fête particulièrement chère aux Florentins en souvenir de Laurent le Magnifique, de la famille des Médicis, et célèbre pour ses étoiles filantes.
Il semble même que ce plat ait été particulièrement apprécié par les contemporains de Laurent, au point que ceux-ci, oublieux du pauvre saint mort sur le gril, baptisèrent ce jour la "fête du poireau".

MINESTRA DI PORRI

Soupe de poireaux

1 kg de poireaux
2 cuillerées de farine
1/2 litre de bouillon
pain toscan
parmesan
huile d'olive

Portions: 4
Temps de préparation: 10'
Temps de cuisson: 1h env.
Difficulté: ●●
Goût: ●●
Kcal (par portion): 376
Protéines (par portion): 12
Mat. gr. (par portion): 13
Apport nutritionnel: ●●

Coupez en tranches le blanc des poireaux et mettez-le à revenir doucement dans 6 cuillerées d'huile. Il ne devra pas frire mais cuire doucement; remuez souvent avec la cuillère en bois. Lorsque les poireaux sont cuits, ôtez du feu et ajoutez la farine petit à petit sans cesser de remuer jusqu'à ce qu'elle soit complètement absorbée. Versez le bouillon (pas bouillant) et remettez à cuire pendant environ une demi-heure à feu moyen, jusqu'à ce que les poireaux se défassent.
Faites griller 6 tranches de pain toscan, placez-les dans un plat allant au four, recouvrez-les du mélange de poireaux et saupoudrez généreusement de parmesan râpé. Faites gratiner à four chaud pendant 10 minutes environ.

MINESTRONE

200 gr de haricots blancs
(ou 100 s'ils sont secs)
2 oignons rouges
2 carottes
2 branches de céleri
2 pommes de terre
3 courgettes
bettes
1/4 de chou vert
200 gr de riz
bouillon
huile d'olive

Portions: 4-6
Temps de préparation: 15'
Temps de cuisson: 1h 20'
Difficulté: ●●
Goût: ●●
Kcal (par portion):300
Protéines (par portion): 9
Mat. gr. (par portion): 11
Apport nutritionnel: ●●

Le minestrone fait avec du riz n'est bon que chaud, mais si vous utilisez de petites pâtes (en quantité égale à celle du riz), il sera tout aussi bon froid pour un soir d'été, saupoudré d'une belle poignée de basilic haché menu. Mais c'est un merveilleux plat d'hiver.

Dans une casserole faites revenir les carottes et le céleri hachés, les autres légumes coupés en dés et les oignons coupés en tranches fines avec 8 cuillerées d'huile, à feu moyen et en remuant souvent avec une cuillère en bois.
Couvrez afin que les légumes cuisent le plus longtemps possible dans leur propre eau. Dès qu'ils auront rendu suffisamment de liquide, couvrez d'eau.
Faites cuire lentement à couvert pendant une heure environ, salez et poivrez.
Jetez-y ensuite le riz et couvrez le tout de bouillon. Faites cuire lentement pendant encore 15/20 minutes en remuant souvent.

MINESTRONE CON LA SALVIA

Minestrone à la sauge

200 gr de haricots à écosser frais (ou secs)
100 gr de "pappardelle"
1 poignée de bolets secs
1 gousse d'ail
1 poignée de sauge hachée
1 tomate bien mûre
huile d'olive

Dans un récipient à fond épais, faites revenir dans 3 cuillerées d'huile l'ail, la sauge et les champignons (préalablement trempés dans de l'eau tiède et soigneusement égouttés).
Ajoutez la tomate, les haricots cuits (si vous utilisez des haricots secs, vous les aurez mis à tremper toute la nuit) et passés à la moulinette, avec leur eau de cuisson.
Salez, poivrez et ajoutez les "pappardelle". Laissez cuire doucement jusqu'à obtention d'un potage dense et relevé que vous servirez arrosé d'un filet d'huile.

Portions: 4
Temps de préparation: 15'+15'
Temps de cuisson: 20'+40'
Difficulté: ●●
Goût: ●●●
Kcal (par portion): 262
Protéines (par portion): 8
Mat. gr. (par portion): 10
Apport nutritionnel: ●

Vous pouvez remplacer les "pappardelle" par d'autres pâtes, mais toujours de blé dur (macaronis, "penne"); si vous faites cuire cette soupe dans moins d'eau, vous obtiendrez une excellente sauce pour assaisonner des pâtes.

C'est l'interprétation quelque peu actualisée d'une très ancienne recette paysanne, autrefois bien sûr servie en plat de résistance, et peut-être est-elle un peu lourde pour nos appétits modernes.

Pappa al pomodoro

Je frémis lorsque j'entends proposer en hiver ce plat que j'adore, car où trouverait-on alors le basilic parfumé indispensable à sa bonne réussite? Je conçois qu'on ne puisse être aussi exigeants en dehors de la Toscane et surtout en dehors de l'Italie. Mais je conseille en tous cas de s'en tenir autant que possible à la qualité des ingrédients et aux modalités d'exécution que j'indique. Certains proposent d'utiliser des poireaux à la place de l'ail, d'autres passent le tout au tamis avant d'arroser d'huile. Je crois que la recette proposée ici est la plus équilibrée. A propos: cette "bouillie" est aussi bonne chaude que froide, mais ne la saupoudrez jamais de parmesan.

Préparez tous les ingrédients devant vous car, bien que simple, ce plat doit cuire très peu et sa préparation être rapide et précise.

Dans un grand récipient, faites doucement revenir l'ail avec 4 cuillerées d'huile; dès qu'il blondit, ajoutez les tomates pelées et coupées en morceaux, le basilic haché grossièrement et enfin le pain coupé en tranches épaisses.

Faites bouillir un instant, ajoutez l'eau ou, si vous préférez une saveur plus moelleuse et "ronde", du bouillon. Laissez cuire jusqu'à obtention d'une "bouillie" dense.

Attention: les tomates pouvant rendre beaucoup d'eau, il n'est pas dit que vous utiliserez tout le liquide, que ce soit de l'eau ou du bouillon.

Ajoutez le sel et le poivre. C'est fait.

Soulevez le couvercle et vous sentirez tout le parfum de l'été, fermez les yeux, vous verrez le ciel bleu et vous entendrez chanter les cigales.

Servez assaisonné d'un filet d'huile.

250 gr de pain toscan rassis
1 litre d'eau ou de bouillon de légumes chaud
600 gr de tomates florentines
4 grosses gousses d'ail
huile d'olive
1 bouquet de basilic bien parfumé

Portions: 4
Temps de préparation: 15'
Temps de cuisson: 35'
Difficulté: ●●
Goût: ●●●
Kcal (par portion): 281
Protéines (par portion): 7
Mat. gr. (par portion): 10
Apport nutritionnel: ●

PAPPARDELLE SULLA LEPRE

Pappardelle au lièvre

Avec la farine, les œufs entiers et l'huile (que l'on ne trouve pas dans la recette habituelle des pappardelle), pétrissez à la main une pâte que vous abaisserez. Laissez-la reposer une demi-heure avant d'y découper des rubans de deux doigts de large environ. Pour la sauce, vous n'utiliserez que la partie antérieure du lièvre. Recueillez tout le sang car vous l'utiliserez dans cette sauce à la place de la tomate (c'est ce qui se faisait avant 1492, pour ce plat et d'autres). Coupez le lièvre en petits morceaux et jetez ceux-ci dans un récipient où vous aurez fait blondir l'oignon dans l'huile. A feu doux, laissez le lièvre rendre un peu d'eau avant d'ajouter la carotte, le céleri et les entrailles coupées grossièrement. Laissez prendre goût, puis mouillez avec le vin rouge et le sang. Laissez évaporer, puis ôtez le lièvre de la casserole et désossez-le. Remettez-le dans sa sauce et laissez encore cuire quelques minutes. Cuisez les pappardelle et servez-les chaudes, assaisonnées de sauce et saupoudrées de parmesan râpé.

Pour la sauce au lièvre:

1 petit lièvre avec son foie, son cœur, ses poumons, etc.
2 carottes
1 oignon
céleri
persil
vin rouge
huile d'olive

Pour les pappardelle:

400 gr de farine
3 œufs entiers
1 cuillerée d'huile

Portions: 4
Temps de préparation: 30'+30'
Temps de cuisson: 1h 20'
Difficulté: ●●●
Goût: ●●
Kcal (par portion): 693
Protéines (par portion): 34
Mat. gr. (par portion): 20
Apport nutritionnel: ●●●

La réalisation de ce mets sera l'apanage de ceux qui peuvent encore trouver du lièvre frais (et non surgelé et d'importation) et faisandé à point. Et ce n'est guère facile, en raison tant des lois qui en limitent ou en interdisent la chasse que de l'extinction progressive de la race. Ce qui fait de ce plat un mets de choix pour les plus gourmands.

Les pittoresques maisons de paysans de la région de Sienne.

PAPPARDELLE AL CONIGLIO STRASCICATO

Pappardelle au lapin

1 lapin d'1 kg 200 environ
oignon, carotte, céleri, persil
3 tomates
un peu de "pepolino" (thym)
350 gr de pappardelle (v. page précédente)
huile d'olive

Portions: 4	
Temps de préparation: 15'	
Temps de cuisson: 1h env.	
Difficulté: ●●	
Goût: ●●	
Kcal (par portion): 549	
Protéines (par portion): 34	
Mat. gr. (par portion): 16	
Apport nutritionnel: ●●●	

Battez bien la chair du lapin et découpez-le en morceaux; réservez le foie. Dans une casserole, faites revenir l'oignon, la carotte et le céleri hachés dans 6 cuillerées d'huile. Lorsque ce hachis blondit, placez-y les morceaux de lapin et faites rissoler à feu moyen pendant un quart d'heure en remuant souvent. Ajoutez les tomates pelées et le foie coupé en morceaux, le sel, le poivre et le thym. Laissez mijoter le lapin dans cette sauce pendant une demi-heure à feu moyen. Otez du feu, sortez le lapin et laissez-le refroidir. Désossez-le et hachez-le puis remettez-le dans la sauce de cuisson et donnez un dernier bouillon. Assaisonnez de ce délice des "pappardelle", de préférence faites maison, qui s'imprègneront bien de sauce. Servez bouillant; à volonté, saupoudrez de persil frais haché.

PAPPARDELLE SULL'ANATRA ▸

Pappardelle au canard

1/2 canard (avec foie et cœur)
350 gr de pappardelle (v. page précédente)
400 gr de tomates
oignon, carotte, persil et 1 branche de céleri
vin blanc
parmesan râpé
huile d'olive

Portions: 4	
Temps de préparation: 15'	
Temps de cuisson: 1h 30'	
Difficulté: ●●	
Goût: ●●	
Kcal (par portion): 647	
Protéines (par portion): 36	
Mat. gr. (par portion): 22	
Apport nutritionnel: ●●●	

Faites blondir l'oignon, la carotte et le céleri hachés dans 6 cuillerées d'huile, puis mettez-y le canard en morceaux (au préalable nettoyé et passé à la flamme). Faites rissoler et ajoutez le vin. Couvrez et laissez mijoter un quart d'heure. Ajoutez les tomates pelées et laissez cuire à feu doux pendant encore une heure. Otez le canard de la casserole, désossez-le dès qu'il a suffisamment refroidi et remettez-le dans la sauce avec le foie et le cœur coupés en petits morceaux. Donnez un dernier bouillon, salez et poivrez. Faites cuire les pappardelle "al dente" (encore fermes, soient 10 minutes de cuisson) et servez-les assaisonnées de cette sauce fumante. Saupoudrez de parmesan râpé. Vous pouvez aussi saupoudrer d'une poignée de ciboulette coupée fin et, à la bonne saison, garnir le plat des fleurs de celle-ci.

Sienne: vue depuis la via Sant'Agata; au fond, la tour dite du Mangia.

Pasta e fagioli

Pâtes et haricots

Faites cuire les haricots à feu doux pendant 40 minutes (pendant 1 heure et demie s'ils sont secs, auquel cas vous les aurez mis à tremper 2 heures dans l'eau avec les herbes aromatiques). Puis, à la moulinette ou au tamis, passez finement pour éliminer les peaux et versez le potage dans une casserole. Salez, poivrez et ajoutez du piment à volonté. Vous ferez cuire les pâtes dans ce potage en ajoutant un peu d'eau pour achever la cuisson.

200 gr de "rigatoni"
700 gr de haricots
(300 gr s'ils sont secs)
2 gousses d'ail
1 bouquet de sauge et 1 de romarin
huile d'olive
piment

Portions: 4
Temps de préparation: 15'+2h
Temps de cuisson: 30'+40'
Difficulté: ●●
Goût: ●●●
Kcal (par portion): 452
Protéines (par portion): 15
Mat. gr. (par portion):10
Apport nutritionnel: ●●

Il est indispensable de servir cette célèbre soupe bien chaude et arrosée d'un filet d'huile d'olive.
La recette originale conseille de cuire les haricots à four doux pendant plusieurs heures (3 environ) dans un récipient de terre.
Mais je trouve que le résultat est tout aussi satisfaisant avec notre méthode, et de nos jours l'on manque toujours de temps. Surtout passez finement les haricots.

Rigatoni strascicati

Rigatoni "brouillés"

Avant tout, préparez une bonne sauce à la viande; mettez à blondir doucement dans 6 cuillerées d'huile l'oignon, le céleri et la carotte hachés. Lorsqu'il sont bien rissolés, ajoutez la viande hachée, haussez la flamme et faites cuire à feu moyen en remuant pendant 1/4 d'heure. Ajoutez ensuite les tomates ou la purée de tomates, salez, poivrez et laissez cuire pendant au moins une heure (et même plus longtemps si vous le pouvez) à feu très doux, en remuant de temps à autre avec une cuillère de bois. Faites cuire les "rigatoni" dans une grande quantité d'eau salée et égouttez-les encore fermes, "al dente". Versez-les dans la sauce à la viande et achevez la cuisson dans un récipient à fond épais où vous finirez de les "strascicare", c'est-à-dire de les "brouiller".

350 gr de "rigatoni"
300 gr de viande maigre hachée
1 oignon rouge plutôt gros
1 branche de céleri
1 carotte
5 tomates rouges bien mûres (ou 1/2 litre de purée de tomate)
huile d'olive

Portions: 4
Temps de préparation: 20'
Temps de cuisson: 1h 30'
Difficulté: ●●
Goût: ●●
Kcal (par portion): 583
Protéines (par portion): 26
Mat. gr. (par portion): 17
Apport nutritionnel: ●●●

300 gr de farine de maïs
2-3 pieds de "cavolo nero"
(qui peut être remplacé par du chou vert)
huile d'olive
poitrine fumée

Portions: 4
Temps de préparation: 15'
Temps de cuisson: 30'+40'
Difficulté: ●●
Goût: ●●●
Kcal (par portion): 469
Protéines (par portion): 7
Mat. gr. (par portion): 22
Apport nutritionnel: ●●●

POLENTA COL CAVOLO NERO

Polenta au "cavolo nero"

Faites cuire les feuilles du chou, au préalable lavées à l'eau courante et débarrassées de leurs côtes, pendant 20 minutes environ. Egouttez-les soigneusement et réservez leur eau de cuisson. Vous verserez peu à peu dans celle-ci la farine de maïs et ferez cuire doucement pendant 40 minutes sans cesser de remuer avec une cuillère pour éviter la formation de grumeaux. A part, faites rissoler la poitrine fumée coupée en dés et ajoutez-y le chou. Lorsque la polenta est presque prête, ajoutez le mélange chou et poitrine fumée et servez aussitôt si vous l'aimez chaude.
Vous pouvez aussi laisser bien refroidir le mélange dans un plat à four et y découper des tranches d'un doigt d'épaisseur que vous ferez griller.

POLENTA PASTICCIATA

Polenta "bâclée"

Dans un grand récipient, faites revenir l'oignon, le céleri et la carotte dans 4 cuillerées d'huile; après avoir laissé cuire à feu doux pendant 10 minutes environ en remuant souvent avec une cuillère en bois, ajoutez la viande hachée, haussez un peu la flamme et faites rissoler.
Au bout de 20 minutes environ, ajoutez la sauce tomate, du sel et du poivre et une cuillère à café de purée de piment. Laissez cuire à feu très doux et entre temps préparez la polenta. Portez à ébullition 2 litres d'eau puis ôtez du feu et en vous aidant d'une cuillère de bois ou, mieux encore, d'un fouet, ajoutez la farine de maïs en pluie, sans cesser de remuer pour éviter les grumeaux. Remettez la polenta à feu très doux pendant environ 40 minutes, et entre temps préparez la béchamel (voir recette p. 17). Une fois la polenta cuite, versez-la sur une planche (en une couche qui ne devra pas avoir plus de 2 centimètres d'épaisseur) et laissez-la refroidir. Laissez mijoter la sauce de viande pendant que la polenta refroidit. Coupez alors celle-ci en carrés et disposez-en une couche dans un grand plat à four beurré. Alternez une couche de polenta, cinq cuillerées de sauce à la viande et une poignée de parmesan râpé. Continuez jusqu'à ce que le plat soit plein, en finissant par une louche de béchamel.
Saupoudrez de parmesan et mettez à feu moyen pendant une petite demi-heure, jusqu'à ce que la surface soit dorée et croquante.

Pour la polenta:
500 gr de farine de maïs moulue très fin

Pour la sauce de viande:
1 oignon
1 branche de céleri
1 carotte
1 litre de sauce tomate
300 gr de viande hachée maigre
huile d'olive
purée de piment

Pour la béchamel:
50 gr de beurre
2 cuillerées de farine
1/2 litre de lait

Portions: 6
Temps de préparation: 30'
Temps de cuisson: 1h 30'+40'
Difficulté: ●●●
Goût: ●●●
Kcal (par portion): 917
Protéines (par portion): 33
Mat. gr. (par portion): 36
Apport nutritionnel: ●●●

1 oignon rouge assez gros
2 carottes
1 branche de céleri
4 pommes de terre
10 courgettes
300 gr de haricots secs
1 bouquet de bettes
1 chou vert
1 pied de "cavolo nero"
1 poireau
purée de tomates
pain toscan rassis vieux d'au moins 2 jours

Portions: 6
Temps de prép.: 20'+5-6h+24h
Temps de cuisson: 1h 30'+40'
Difficulté: ●●
Goût: ●●
Kcal (par portion): 753
Protéines (par portion): 34
Mat. gr. (par portion): 5
Apport nutritionnel: ●●●

RIBOLLITA

Faites cuire les haricots à feu doux. Faites revenir l'oignon coupé en tranches dans un récipient à fond épais. Ajoutez les autres légumes coupés en dés, à l'exception du "cavolo noir", du chou vert, et des haricots. Lorsque les légumes auront rendu un peu de leur eau, recouvrez-les d'eau chaude et ajoutez les choux hachés. Couvrez et laissez bouillir à feu moyen pendant une heure. Ajoutez les haricots cuits, en partie entiers et en partie passés à la moulinette. Faites bouillir doucement pendant encore 20 minutes en remuant souvent. Ajoutez deux ou trois cuillerées de purée de tomates. Coupez le pain en tranches et, dans un récipient de terre, alternez une couche de soupe et une couche de pain jusqu'à ce que ce dernier soit bien imprégné. Laissez reposer pendant une journée. Pour déguster cette soupe, vous prélèverez dans le récipient la quantité nécessaire et la réchaufferez, ou la ferez "rebouillir" (d'où son nom de "ribollita").

Une vue curieuse de la cathédrale de Florence.

Riso agli asparagi

Riz aux asperges

300 gr de riz
2 bottes d'asperges
50 gr de beurre
50 gr de parmesan râpé

Portions: 4
Temps de préparation: 15'
Temps de cuisson: 40'
Difficulté: ●●
Goût: ●●
Kcal (par portion): 455
Protéines (par portion): 11
Mat. gr. (par portion): 16
Apport nutritionnel: ●●

Faites rapidement blanchir les asperges liées en botte et placées debout dans une casserole suffisamment haute: ayez soin de ne pas les recouvrir entièrement d'eau et laissez cuire à couvert afin que la vapeur ne sorte pas en cours de cuisson (20 minutes environ). Egouttez les asperges, réservez leur eau de cuisson, puis coupez-les en petits morceaux en éliminant la partie filandreuse. Faites fondre le beurre dans une poêle et faites-y revenir les asperges en remuant souvent. Cuisez le riz dans de l'eau salée, égouttez-le encore ferme et faites-le revenir dans la poêle avec les asperges en ajoutant une louche de liquide de cuisson. Laissez évaporer, faites cuire encore quelques minutes et servez saupoudré de fromage râpé.

Risotto ai carciofi

Risotto aux artichauts

300 gr de riz
6 artichauts
40 gr de beurre
200 gr de jambon cuit
1 oignon
1 citron
parmesan
vin de paille
persil

Portions: 4
Temps de préparation: 20'
Temps de cuisson: 40'
Difficulté: ●●
Goût: ●●
Kcal (par portion): 787
Protéines (par portion): 28
Mat. gr. (par portion): 41
Apport nutritionnel: ●●●

Nettoyez les artichauts, coupez-les finement en quartiers et plongez-les dans un saladier plein d'eau et de jus de citron. Préparez un hachis avec l'oignon et le jambon en fines lanières et faites lentement revenir dans le beurre. Ajoutez les artichauts, faites rissoler pendant 10 minutes puis ajoutez le riz et le verre de vin de paille. Versez le riz en pluie et faites-le revenir à feu moyen sans cesser de remuer; commencez ensuite à verser petit à petit l'eau bouillante (environ 3/4 de litre). Au terme de la cuisson (20/30 minutes), salez et poivrez et amalgamez le riz à une poignée de persil haché et à une bonne dose de parmesan râpé.

Tortelli di patate

"Tortelli" de pommes de terre

Avant tout préparez la pate: faites un puits de farine sur la table ou sur une planche et versez-y les 5 œufs entiers. Avec beaucoup de soin et de patience, pétrissez tout doucement la pâte en la liant avec les œufs. Vous ferez une boule de la pâte ainsi obtenue et la laisserez reposer recouverte d'un linge pendant que vous préparerez la farce. Faites cuire les pommes de terre avec leur peau (ainsi elles absorberont moins d'eau). Hachez deux gousses d'ail et une belle touffe de persil; ajoutez une tomate mûre, pelée et coupée en petits morceaux, une bonne poignée de fromage râpé et un peu de noix de muscade râpée. Travaillez le tout avec les pommes de terre que vous aurez épluchées et écrasées. Salez, poivrez et, pour finir, ajoutez un œuf entier battu. Abaissez la pâte et découpez-y des bandes de 3 doigts de large environ. Sur une moitié de chacune de celles-ci, disposez à intervalles réguliers de petits tas de farce. Recouvrez chaque bande de pâte d'une autre bande de pâte, fermez en pressant bien sur les bords et découpez ces tortelli que vous mettrez au fur et à mesure sur un linge légèrement enfariné.
Faites-les cuire dans une grande quantité d'eau salée, égouttez-les encore fermes, après vous être assurés que, là où elle est le plus épaisse, la pâte est bien cuite. Servez les tortelli assaisonnés d'une bonne sauce à la viande et saupoudrés de parmesan râpé. Ils sont également délicieux avec du beurre et de la sauge, toujours généreusement saupoudrés de parmesan râpé.

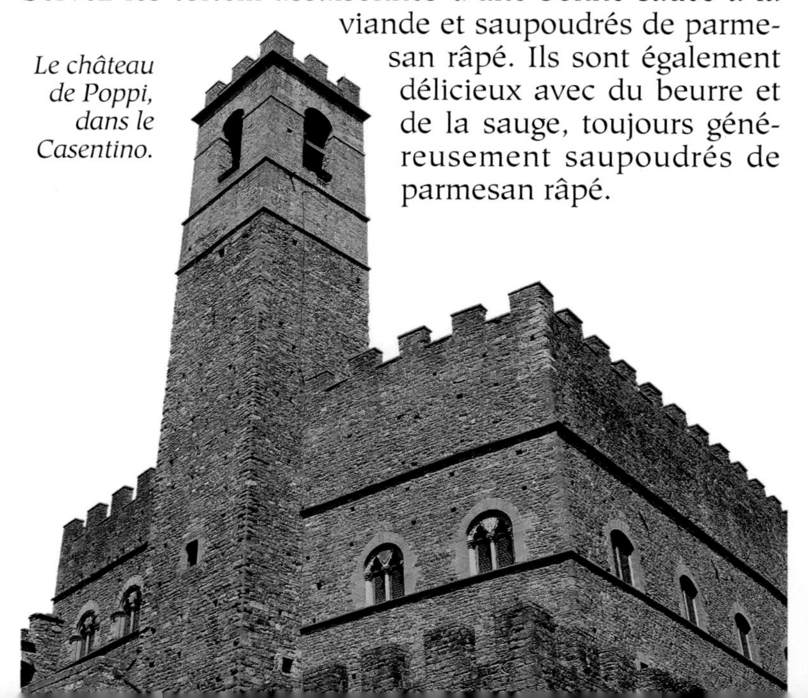

Le château de Poppi, dans le Casentino.

Pour la pâte:

500 gr de farine
5 œufs

Pour la farce:

600 gr de pommes de terre
100 gr de parmesan
noix de muscade
ail
persil
1 tomate bien mûre
1 œuf

Portions: 4-6
Temps de préparation: 40′+30′
Temps de cuisson: 35′
Difficulté: ●●●
Goût: ●●●
Kcal (par portion): 810
Protéines (par portion): 39
Mat. gr. (par portion): 20
Apport nutritionnel: ●●●

ZUPPA DI CECI E PANE AGLIATO

Soupe de pois chiches et de pain aillé

300 gr de pois chiches secs
1 petite branche de romarin
pain toscan
1 tranche de poitrine fumée
huile d'olive

Portions: 4
Temps de préparation: 20'
Temps de cuisson: 1h 25'
Difficulté: ●●
Goût: ●●●
Kcal (par portion): 706
Protéines (par portion): 25
Mat. gr. (par portion): 25
Apport nutritionnel: ●●●

Les pois chiches (les meilleurs viennent du Mexique) doivent avoir trempé pendant 8 heures dans 2 litres d'eau froide additionnée d'une cuillerée de bicarbonate et d'une poignée de gros sel. Faites cuire à feu lent pendant une heure un quart environ, en ajoutant à mi-cuisson la tranche de poitrine fumée. Après quoi, passez une bonne partie des pois chiches à la moulinette (vous aurez soin de bien éliminer les peaux) et réservez les pois chiches restants en les laissant entiers. Faites griller les tranches de pain, frottez-les généreusement d'ail des deux côtés puis coupez-les en croûtons. A part, faites rapidement revenir dans une cuillerée d'huile plusieurs aiguilles de romarin (sans la tige), puis jetez-les dans la soupe à laquelle vous aurez entre temps ajouté les pois entiers. Servez arrosé d'un filet d'huile et avec les croûtons aillés; ne mettez pas trop de ces derniers car ils rendraient la soupe trop épaisse et lourde.

ZUPPA DI FAGIOLI ALLA FIORENTINA

Soupe florentine

300 gr de haricots frais
(ou 200 gr de haricots secs)
200 gr de "cavolo nero"
4 tomates bien mûres
1 oignon
1 carotte
1 branche de céleri
2 gousses d'ail
pain rassis
couenne de porc
1 petite branche de romarin
huile d'olive

Portions: 4
Temps de préparation: 15'
Temps de cuisson: 20'+40'
Difficulté: ●●
Goût: ●●●
Kcal (par portion): 705
Protéines (par portion): 30
Mat. gr. (par portion): 18
Apport nutritionnel: ●●●

Faites cuire les haricots dans une grande casserole d'eau avec la couenne de porc coupée en morceaux. Entre temps préparez un hachis avec l'oignon, la carotte, le céleri et le romarin et faites-le blondir; ajoutez un demi-verre d'eau chaude et les tomates pelées (éventuellement en conserve). Lorsque les haricots sont cuits (40 minutes s'ils sont frais et 2 heures s'ils sont secs; dans ce dernier cas vous les aurez fait tremper), passez-en les 3/4 à la moulinette et ajoutez-les au hachis, ainsi que le restant de haricots entiers avec leur liquide de cuisson et la couenne. Faites bouillir encore 10 minutes; la soupe est prête. Disposez dans la soupière les tranches de pain rassis (grillé si vous l'aimez mieux ainsi) et versez-y la soupe.
Laissez reposer un instant et servez.

Il s'agit de l'enième recette à base d'huile et de bon pain toscan, dont il existe maintes variantes: certains ajoutent du poireau au hachis initial, mais je préfère quant à moi faire appel au thym, si facile à trouver le long de nos routes de campagne.

ZUPPA DI PANE

Soupe de pain

1 os de jambon
400 gr de chou vert
3 courgettes
400 gr de pain
200 gr de pommes de terre
oignon, céleri, carottes, persil et basilic
600 gr de haricots (ou 300 gr de secs)
200 gr de tomates
huile d'olive

Portions: 4
Temps de préparation: 20'
Temps de cuisson: 1h 40'
Difficulté: ●●
Goût: ●●●
Kcal (par portion): 598
Protéines (par portion): 20
Mat. gr. (par portion): 13
Apport nutritionnel: ●●

Dans une casserole, faites blondir l'oignon avec l'os du jambon (ou avec 50 grammes de lard) dans 6 cuillerées d'huile. Coupez en julienne tous les autres légumes, ajoutez-y le basilic et le persil et faites légèrement revenir.
Après avoir fait cuire les haricots (s'ils sont frais il faudra compter environ 40 minutes dans beaucoup d'eau, s'ils sont secs 2 heures environ à feu très doux), passez-en une bonne partie à la moulinette mais laissez-en entiers environ deux cuillerées. Mettez l'eau de cuisson des haricots dans la casserole contenant l'os et les légumes, ajoutez les haricots entiers et en purée et le chou vert grossièrement coupé; faites cuire pendant une demi-heure environ. En dernier ajoutez les tomates bien mûres (de préférence nos tomates "florentines").
Laissez encore cuire pendant un petit quart d'heure et servez la soupe bien chaude sur des tranches de pain rassis et grillé, arrosée d'un filet d'huile.

ZUPPA DI PISELLI ALL'OLIO

Soupe de petits pois à l'huile

20 petits oignons blancs
2 tasses de bouillon
1 kg de petits pois écossés
persil
pain toscan rassis
huile d'olive

Portions: 4
Temps de préparation: 15'
Temps de cuisson: 50'+10'
Difficulté: ●●
Goût: ●●
Kcal (par portion): 581
Protéines (par portion): 26
Mat. gr. (par portion): 11
Apport nutritionnel: ●●

Dans une casserole, faites revenir les petits oignons dans 4 cuillerées d'huile. En tournant continuellement avec une cuillère en bois, ajoutez le bouillon; lorsque les oignons sont dorés, ajoutez les petits pois, des feuilles de persil et encore du bouillon. Préparez des croûtons de pain frits dans l'huile. Faites cuire la soupe à feu moyen pendant 3/4 d'heure, en tournant souvent; salez, poivrez. En dernier ajoutez le pain frit, mélangez rapidement et servez aussitôt bien chaud, en ayant soin de garnir de persil frais.

VIANDES ET GIBIER

3

ARISTA AL FORNO

Carré de porc au four

1 kilo 1/2 de carré de porc avec os
2-3 gousses d'ail
1 petit bouquet de romarin
huile d'olive
poivre en grains

Portions:	6
Temps de préparation:	15′
Temps de cuisson:	2h ca
Difficulté:	●
Goût:	●●●
Kcal (par portion):	372
Protéines (par portion):	40
Mat. gr. (par portion):	23
Apport nutritionnel:	●●

Prenez un carré de porc (impérativement avec os, et ce bien qu'ensuite il sera plus difficile de le couper en tranches, mais le résultat n'est pas comparable...) Et roulez-le dans un hachis de romarin, d'ail, de sel et de poivre. Vous pourrez aussi si cela vous plaît y enfiler quelques grains de poivre avec l'aide d'un couteau. Placez le carré de porc dans un plat à four huilé et laissez cuire à feu doux pendant deux heures. En cours de cuisson la viande produira un jus fort goûteux dans lequel vous pourrez faire cuire des pommes de terre (ou encore des navets, des bettes, du chou, des épinards) qui constitueront un accompagnement délicieux. Ce plat digne d'un jour de fête est également très bon froid, en tranches très fines et accompagné d'un bon vin rouge.

BRACIOLE DI MAIALE COL CAVOLO NERO

Côtes de porc au "cavolo nero"

Nettoyez les feuilles de chou en leur ôtant les côtes et lavez-les. Faites-les cuire pendant 20 minutes environ dans de l'eau salée bouillante. Egouttez-les bien et hachez-les. Faites rissoler les côtelettes de porc de tous côtés dans l'oignon haché finement et 4 cuillerées d'huile, puis ajoutez le vin rouge, couvrez et laissez cuire pendant un quart d'heure à feu doux.
Otez alors la viande du récipient et dans le jus restant faites revenir le chou. Remettez la viande et laissez cuire encore 10 minutes, sans cesser de tourner à la cuillère de bois. Salez, poivrez et servez bien chaud.
Une variante: à la place du "cavolo nero" vous pouvez utiliser des pousses de navet ou des brocoli, préalablement blanchis dans de l'eau bouillante puis mis en morceaux avant d'être ajoutés à la viande.
Ce typique plat d'hiver s'accompagnera fort bien d'un bon vin rouge corsé.

4 côtelettes de porc de 150 gr chacune environ
2-3 pieds de "cavolo nero" ou de chou vert
1 oignon rouge
2 gousses d'ail
1 verre de vin rouge léger
poivre noir en grains
huile d'olive

Portions: 4
Temps de préparation: 20'
Temps de cuisson: 50'
Difficulté: ●●
Goût: ●●●
Kcal (par portion): 392
Protéines (par portion): 32
Mat. gr. (par portion): 21
Apport nutritionnel: ●●

BRACIOLE DI VITELLA AI CARCIOFI

Côtes de veau aux artichauts

Nettoyez les artichauts en leur enlevant les feuilles extérieures les plus dures et l'éventuel "foin". Mettez-les dans de l'eau légèrement acidulée au moyen de quelques gouttes de citron. Aplatissez légèrement les tranches de viande et plongez-les dans l'œuf battu avec une pincée de sel.
Coupez ensuite les artichauts en tranches fines. Farcissez chaque tranche de viande avec un peu de fromage et les tranches d'artichauts jusqu'à ce que la moitié environ soit recouverte. Refermez-les sur cette farce et pressez bien avec les doigts. Passez-les dans l'œuf puis dans la chapelure.
Faites-les cuire à feu moyen pendant un quart d'heure avec du beurre et une pincée de sel et de poivre, en les retournant délicatement pour les dorer de tous côtés. Servez bien chaud avec une garniture de tranches de citron et de persil.

4 côtes de veau dans le carré désossées
8 petits artichauts bien tendres
1 petit citron
2 œufs
50 gr de chapelure
100 gr de beurre
80 gr de fontine

Portions: 4
Temps de préparation: 30'
Temps de cuisson: 15'
Difficulté: ●●
Goût: ●●
Kcal (par portion): 724
Protéines (par portion): 40
Mat. gr. (par portion): 50
Apport nutritionnel: ●●●

CAPPONE ALLA FIORENTINA

Chapon à la florentine

1 chapon de 3 kg environ
1 oignon moyen
1 carotte
1 céleri
1 pincée de thym (frais de préférence)
1 pointe d'ail
2 tranches de jambon cru
1 feuille de laurier
1 verre de vinsanto (vin liquoreux)
1/2 litre de sauce tomate
1/2 litre de bouillon
pain toscan rassis
2 noix de beurre
huile d'olive

Portions: 6
Temps de préparation: 30'
Temps de cuisson: 2h env.
Difficulté: ●●●
Goût: ●●
Kcal (par portion): 876
Protéines (par portion): 49
Mat. gr. (par portion): 43
Apport nutritionnel: ●●●

Nettoyez et passez à la flamme le chapon; lardez-le de petits morceaux d'ail, de feuilles de laurier et de thym et d'un peu de sel. Attachez-lui les pattes et placez-le dans un récipient avec un hachis d'oignon, de carotte et de céleri, 6 cuillerées d'huile et une noix de beurre. Faites rissoler à feu vif, en mouillant souvent avec le fond de cuisson et avec le bouillon que vous aurez préparé à part (vous pouvez utiliser des cubes à bouillon).
Faites cuire pendant une demi-heure en mouillant et en remuant de temps à autre le récipient pour éviter que le chapon n'attache. Ajoutez le jambon coupé en fines lamelles et faites-le revenir. Versez ensuite la sauce tomate, une pointe de sel et de poivre (pas trop, le jambon est déjà salé) et laissez cuire à feu doux pendant une heure et demie. Goûtez le fond de cuisson et corrigez-le à volonté avec le vin liquoreux. Le chapon, plat des jours de fête, se sert entier ou en morceaux placés sur d'épaisses tranches de pain grillé, bien mouillées de la sauce que vous aurez déglacée avec une demi-tasse de bouillon.

De nos jours, le chapon ne se sert que rarement, ou, à vrai dire, presque uniquement à l'occasion des fêtes de Noël. Cela est en partie dû à sa taille qui appelle un grand nombre de convives.

CAPPONE IN AGRODOLCE

Chapon aigre-doux

1 petit chapon
200 gr de cerneaux de noix
200 gr de pruneaux dénoyautés
100 gr de figues sèches
100 gr d'olives vertes dénoyautées
2,5 dl de crème aigre
2 verres de vinsanto
1 cuillerée de vinaigre
150 gr de beurre
10 gr de clous de girofle
sel, poivre

Portions: 4-6
Temps de préparation: 30'
Temps de cuisson: 1h 35'
Difficulté: ●●●
Goût: ●●
Kcal (par portion): 1271
Protéines (par portion): 41
Mat. gr. (par portion): 99
Apport nutritionnel: ●●●

Nettoyez le chapon, passez-le au-dessus de la flamme, lavez-le à l'eau courante, videz-le de ses entrailles. Dans un récipient, pétrissez avec les mains tous les fruits secs coupés menus, les cerneaux de noix émiettés et les olives, le sel, le poivre et les clous de girofle. Avec ce mélange, farcissez le chapon que vous coudrez avec du fil de cuisine. Dans une grande casserole, faites fondre le beurre mélangé au vinsanto (ou à un vin liquoreux pas trop doux) et à la crème aigre. Placez-y le chapon et faites cuire à feu moyen pendant une heure et demie.
Vous ne retournerez le chapon qu'une seule fois, mais vous le mouillerez souvent avec le jus de cuisson. Si celui-ci réduisait trop, ajoutez un peu d'eau chaude et quelques cuillerées de vin liquoreux. Lorsque la viande est cuite et bien tendre, mettez sur un plat et laissez refroidir pendant un quart d'heure avant de découper et de servir, arrosé du fond de cuisson déglacé avec la cuillerée de vinaigre.

Ce plat triomphal des fêtes de Noël, qui change enfin de l'éternel chapon bouilli, allie à la perfection la saveur des fruits secs à celle de la crème aigre.
Si vous ne réussissez pas à vous procurer cette dernière, utilisez du yaourt plutôt liquide.

C'était l'un des plats préférés de mon grand-père Luigi, chasseur invétéré devenu citadin, qui les jours de fête le réclamait à ma grand-mère.
Celle-ci, d'origine romagnole, enrichissait ce plat de l'arôme de la noix muscade, râpée au dernier moment et incorporée au reste avec délicatesse.

CONIGLIO ALLA CACCIATORA

Lapin chasseur

1 lapin d'environ 1 kg 1/2
oignon, céleri, carotte
vin blanc
4 tomates
olives noires aillées
farine blanche
huile d'olive

Portions: 4
Temps de préparation: 20'
Temps de cuisson: 50'
Difficulté: ●●
Goût: ●●●
Kcal (par portion): 345
Protéines (par portion): 26
Mat. gr. (par portion): 18
Apport nutritionnel: ●

Lavez le lapin et coupez-le en morceaux que vous enfarinerez. Faites blondir l'oignon, le céleri et la carotte dans 4 cuillerées d'huile puis ajoutez le lapin sans son foie que vous n'utiliserez pas dans cette recette. Mouillez avec le vin blanc et faites cuire pendant 10 minutes à feu moyen en tournant avec une cuillère de bois. Ajoutez les tomates coupées en petits morceaux et les olives aillées. Salez, poivrez et laissez encore cuire à feu modéré pendant 40 minutes.

Coniglio alla contadina

Lapin paysanne

Coupez le lapin en morceaux et lavez-le. Dans quatre cuillerées d'huile d'olive, faites blondir l'oignon et les gousses d'ail hachées: ajoutez les morceaux de lapin, égouttés et séchés, y compris le foie coupé en morceaux. Haussez la flamme et versez le vin blanc. Baissez à nouveau la flamme lorsque celui-ci sera évaporé. Couvrez et faites cuire à feu moyen pendant environ 1/4 d'heure. Ajoutez alors les tomates pelées et coupées en morceaux, le romarin et, si vous en aimez le parfum et que c'est la saison, 5-6 feuilles de basilic. Salez, poivrez selon votre goût. Laissez cuire pendant 20 minutes encore en ajoutant peu à peu autant de bouillon de légumes qu'il faudra pour garder son homogénéité à la sauce.

1 lapin d'1 kg 1/2
1 oignon rouge
1/2 kg de tomates mûres
romarin
2 gousses d'ail
vin blanc
bouillon de légumes
huile d'olive

Portions: 4
Temps de préparation: 20'
Temps de cuisson: 50'
Difficulté: ●●
Goût: ●●●
Kcal (par portion): 417
Protéines (par portion): 46
Mat. gr. (par portion): 22
Apport nutritionnel: ●●

FAGIANO ALLA FIORENTINA

Faisan à la florentine

1 faisan d'environ 1 kg 300
150 gr de poitrine fumée
sauge
huile d'olive

Portions: 4
Temps de préparation: 20'
Temps de cuisson: 45'
Difficulté: ●●
Goût: ●●
Kcal (par portion): 558
Protéines (par portion): 48
Mat. gr. (par portion): 40
Apport nutritionnel: ●●

Bardez le faisan de minces tranches de poitrine fumée après l'avoir bien salé et poivré à l'intérieur.
Liez avec du fil de cuisine et faites cuire à four chaud dans un plat avec 4 cuillerées d'huile pendant au moins 40 minutes; arrosez-le souvent avec son jus de cuisson afin qu'il ne dessèche pas.
Au terme de la cuisson, déliez-le et ôtez la poitrine fumée que vous remettrez dans le fond de cuisson. Découpez et servez chaud arrosé de son jus.

Les faisans que l'on trouve dans le commerce sont souvent déjà faisandés et vidés. Si ce n'était pas le cas, videz-le, laissez-le faisander pendant une semaine (il faut un peu de temps pour qu'il libère tout son arôme), puis plumez-le avec soin (une opération longue, qui demande beaucoup de patience !). Coupez les pattes et la tête, passez-le sur une flamme et lavez-le à l'eau vinaigrée. Il est alors prêt à l'emploi. Le fait de barder permet d'utiliser pour cette recette du faisan mâle, autrement beaucoup plus dur que sa compagne.

FEGATELLI DI MAIALE

Brochettes de foies de porc en papillotes

600 gr de foie de porc
200 gr de crépine de porc
feuilles de laurier
branches de laurier pour les brochettes (20 cm de long environ)
pain toscan en tranches
huile d'olive

Portions: 4
Temps de préparation: 30'
Temps de cuisson: 20'
Difficulté: ●
Goût: ●●●
Kcal (par portion): 1035
Protéines (par portion): 40
Mat. gr. (par portion): 67
Apport nutritionnel: ●●●

Lavez la crépine de porc dans de l'eau tiède. Coupez le foie en morceaux de 5 centimètres environ que vous passerez dans un hachis de laurier, de sel et de poivre. Coupez la crépine en carrés suffisamment grands pour y envelopper les morceaux de foie. Enfilez ceux-ci sur les branches de laurier en alternant un morceau de foie et une tranche de pain - avec sa croûte - et en les séparant par une feuille de laurier. Placez les brochettes dans un plat à four avec 5 cuillerées d'huile et une pincée de sel supplémentaire. Faites cuire à four moyen pendant 20 minutes.

Attention au temps de cuisson: si vous laissez les brochettes trop longtemps au four, les foies deviendront durs. Je suggère d'utiliser comme brochettes des branches de laurier qui parfumeront l'intérieur de la viande. Enfin, parlons du pain. Vous pouvez bien sûr utiliser n'importe quel type de pain, mais le pain toscan est sans aucun doute le mieux indiqué car il est ferme et consistant et non salé, et donc s'imprègne bien des arômes.

La Bistecca

1 côte de bœuf de 800 gr
sel et poivre moulu
au dernier moment

Portions: 4
Temps de préparation: 5′
Temps de cuisson: 10′
Difficulté: ●
Goût: ● ●
Kcal (par portion): 400
Protéines (par portion): 48
Mat. gr. (par portion): 23
Apport nutritionnel: ● ●

Sortez votre "bistecca" du réfrigérateur deux heures à l'avance. Vous devrez la cuire sur un gril au charbon de bois, et celui-ci sera ardent mais sans flammes. Placez la côte de bœuf sur le gril et faites-la cuire pendant 5 minutes jusqu'à ce qu'elle se couvre d'une belle croûte. Retournez-la (sans la percer de votre fourchette!) Et faites cuire l'autre côté. Vous ne la laisserez sur le feu que le temps nécessaire pour qu'elle soit bien grillée extérieurement mais encore saignante à l'intérieur.
Salez, poivrez (il est préférable de moudre le poivre au dernier moment) et servez aussitôt. Savourez-la accompagnée d'une belle salade verte ou de haricots à l'huile.

Bœufs de la race "Chianina" au pâturage.

La réussite d'une bonne "bistecca" (ou "carbonata", mais le nom de "bistecca", bien que ce soit une corruption de l'anglais beef-steak, s'est à présent imposé et jouit d'une aura internationale) dépend avant tout de la cuisson, mais aussi et surtout de la qualité de la viande.

Je suggère d'utiliser de la viande de bovins de la race dite Chianina, bien qu'il ne soit pas facile de s'en procurer.
Le résultat sera tout aussi satisfaisant si le bœuf est bon ainsi que la coupe de la côte: celle-ci devra avoir deux doigts d'épaisseur, un os en forme de T et son filet et son contre-filet. Cette précision n'est pas inutile, en particulier au-delà des confins toscans, car les bouchers d'autres régions ont la fâcheuse tendance de faire passer pour des "bistecche" des entrecôtes qui n'ont pas grand-chose en commun avec le produit original.

FRICASSEA RUSTICA

Fricassée rustique

800 gr de gîte de génisse
persil
2 gousses d'ail
vin blanc sec
2 jaunes d'œuf
1 citron
100 gr de beurre
huile d'olive

Portions: 6
Temps de préparation: 20'
Temps de cuisson: 1h 30'
Difficulté: ●●
Goût: ●●
Kcal (par portion): 720
Protéines (par portion): 45
Mat. gr. (par portion): 59
Apport nutritionnel: ●●●

Coupez en morceaux le gîte et mettez-le dans une casserole avec 3 cuillerées d'huile, le beurre, le persil lié et l'ail. Faites cuire pendant 20 minutes à feu moyen, en mouillant peu à peu avec le vin blanc. Enlevez le persil et l'ail et continuez la cuisson pendant une petite heure en mouillant si nécessaire avec de l'eau chaude. Enfin, ôtez la viande du feu alors qu'elle est tendre mais pas saignante. Battez les jaunes d'œuf avec le jus d'un citron et, hors du feu, versez-les dans le jus de cuisson. Tournez et, si nécessaire, ajoutez de l'eau goutte à goutte pour lier le tout, sans remettre sur le feu. Recouvrez la viande de sauce et servez.

Certains ajoutent à mi-cuisson un peu de champignons secs préalablement trempés dans de l'eau tiède et hachés. J'approuve, à condition de n'utiliser que des bolets.

INSALATA DI TRIPPA

Salade de tripes

500 gr de tripes
1 oignon blanc
1 poignée d'olives noires
1 poignée d'olives vertes piquantes
1/2 poivron rouge
1 bouquet de persil
2 citrons
huile d'olive

Portions: 4
Temps de préparation: 15'
Difficulté: ●
Goût: ●●●
Kcal (par portion): 302
Protéines (par portion): 21
Mat. gr. (par portion): 22
Apport nutritionnel: ●

Lavez bien les tripes et découpez-les en lamelles d'un doigt de large (ou moins si vous préférez).
Mettez celles-ci dans un saladier et ajoutez les olives dénoyautées et grossièrement hachées, le poivrons en bâtonnets, l'oignon en tranches et le persil haché; salez, poivrez, arrosez d'huile et de jus de citron.

Cette belle salade est particulièrement appréciée en été car elle se mange froide. Naturellement, chacun peut y ajouter ce qu'il veut pour la rendre plus personnelle (par exemple des tomates fraîches coupées menu), pour en adoucir le goût (par exemple des petits artichauts à l'huile) ou pour souligner celui-ci (à la place du persil, des feuilles de basilic broyées entre les doigts ou encore entières, qui constitueront une garniture colorée).

LESSO RIFATTO

Comment accommoder un reste de pot-au-feu

500 gr de bœuf bouilli
2 oignons blancs
300 gr de tomates pelées
quelques feuilles de basilic
1 petit bouquet de sauge
huile d'olive

Portions: 4
Temps de préparation: 10'
Temps de cuisson: 25'
Difficulté: ●
Goût: ●●●
Kcal (par portion): 275
Protéines (par portion): 19
Mat. gr. (par portion): 19
Apport nutritionnel: ●

Faites cuire doucement dans 4 cuillerées d'huile les oignons finement coupés: ne les faites pas blondir mais laissez-les se défaire tout doucement, à couvert et sans sel.
Ajoutez ensuite les tomates bien égouttées et coupées grossièrement, un peu de basilic haché et 3 feuilles de sauge entières. Faites cuire à feu moyen pendant 10 minutes. Ajoutez alors la viande bouillie coupée en tranches et donnez un bouillon rapide pour que la sauce épaississe. Salez et poivrez. Servez les tranches de viande recouvertes de la savoureuse sauce d'oignons et de tomates.

Les tours de San Gimignano.

PEPOSO

500 gr de gîte de bœuf
6 gousses d'ail
3 tomates bien mûres
4 tranches de pain toscan rassis et grillé
sel et poivre

Portions: 4
Temps de préparation: 10'
Temps de cuisson: 2-3h
Difficulté: ●●
Goût: ●●●
Kcal (par portion): 345
Protéines (par portion): 25
Mat. gr. (par portion): 10
Apport nutritionnel: ●

Dans un récipient profond à fond épais, mettez le gîte coupé en morceaux, l'ail haché, les tomates pelées et grossièrement coupées. Salez et saupoudrez de poivre en grains moulu au dernier moment. Et quand je dis à volonté, je veux dire abondamment - ce plat ne s'appelle pas peposo ("poivré") pour rien -, au moins une cuillerée rase. Couvrez d'eau froide et laissez cuire très lentement en tournant. Ce plat ne sera prêt qu'au terme de plusieurs heures de cuisson, au moins deux ou trois. Servez bouillant sur des tranches de pain grillées. Si le tout tendait à dessécher trop, ajoutez de l'eau chaude afin que la viande cuise toujours dans un peu de liquide.

La foire d'Impruneta.

En cuisine la hâte est toujours mauvaise conseillère, mais je dirais qu'ici un élément particulièrement important est la patience. En effet le "peposo", également dit "fornacina", est indissociable des veillées des "fornacini" d'Impruneta, un village proche de Florence spécialisé dans la terre cuite. Ces préposés aux fours (four se dit "forno") passaient la nuit à surveiller les fours à bois dans lesquels cuisaient des jarres, des briques et des pots de cette célèbre terre cuite. A cette époque la cuisson du "peposo" durait encore plus longtemps puisqu'il pouvait passer jusqu'à 6 ou même 8 heures dans des récipients placés à l'entrée des fours où la terre cuite durcissait à une température basse et uniforme.

POLLO ALLA DIAVOLA

Poulet à la diable

1 poulet d'environ 1 kg 200
1 petit bouquet de sauge
1 citron
huile d'olive

Portions: 4
Temps de préparation: 15'
Temps de cuisson: 30'
Difficulté: ●
Goût: ●●
Kcal (par portion): 440
Protéines (par portion): 38
Mat. gr. (par portion): 32
Apport nutritionnel: ●●

Videz le poulet, enlevez-lui la tête et les pattes, passez-le à la flamme et lavez-le. Ouvrez-le en deux le long du bréchet et aplatissez-le. Saupoudrez-le de sel, de poivre et d'une bonne quantité de sauge hachée. Faites-le cuire à la braise ardente pendant un quart d'heure de chaque côté en le badigeonnant avec un pinceau trempé dans l'huile et le citron. Servez chaud avec force pommes de terre frites.

POLLO AL MATTONE ▸

Poulet "sous la brique"

1 poulet d'environ 1 kg 200
sauge et romarin
2 citrons
2 gousses d'ail
huile d'olive

Portions: 4
Temps de préparation: 15'
Temps de cuisson: 30'
Difficulté: ●
Goût: ●●●
Kcal (par portion): 440
Protéines (par portion): 38
Mat. gr. (par portion): 32
Apport nutritionnel: ●●

Videz le poulet, lavez-le et passez-le sur la flamme. Ouvrez-le en le découpant le long du bréchet et aplatissez-le bien comme pour la recette précédente.
Hachez finement la sauge et le romarin (et, si vous l'aimez, l'ail) et saupoudrez-en le poulet.
Badigeonnez-le d'huile et placez-le au gril sur des braises ardentes.
Pendant la cuisson (à feu vif), vous écraserez le poulet sous une lourde brique d'argile.
Il devra rester sur le feu pendant une demi-heure, au cours de laquelle vous le badigeonnerez régulièrement et le retournerez souvent, en remettant toujours la brique dessus.
Servez bien chaud, arrosé de jus de citron.

POLLO FRITTO

Poulet frit

1 poulet d'environ 1 kg 300
3 œufs
250 gr de farine
huile d'olive

Portions: 4	
Temps de préparation: 15'+20'	
Temps de cuisson: 20' env.	
Difficulté: ●●	
Goût: ●●	
Kcal (par portion): 753	
Protéines (par portion): 44	
Mat. gr. (par portion): 28	
Apport nutritionnel: ●●●	

Coupez le poulet en petits morceaux que vous laverez et essuierez. Dans un saladier, battez les œufs avec une pincée de sel et plongez-y les morceaux de poulet. Laissez reposer pendant 20 minutes environ afin qu'ils s'imprègnent bien d'œuf. Au moment de les frire, versez la farine en pluie dans le saladier et laissez l'œuf l'absorber. Il est indispensable que chaque morceau de poulet trempe bien dans le mélange. Chauffez l'huile d'olive dans une grande casserole et plongez-y le poulet pendant 20 minutes. Au début la flamme devra être basse; haussez-la ensuite pour bien dorer votre friture. Servez aussitôt égoutté, avec des quartiers de citrons.

1 poulet d'environ 1 kg 200
1 oignon
1 carotte
1 céleri
4 tomates mûres
1 poignee d'olives noires aillées
farine
huile d'olive

Portions: 4	
Temps de préparation: 15'	
Temps de cuisson: 50'	
Difficulté: ●●	
Goût: ●●●	
Kcal (par portion): 598	
Protéines (par portion): 45	
Mat. gr. (par portion): 39	
Apport nutritionnel: ●●	

POLLO ALLA CACCIATORA ▸

Poulet chasseur

Passez le poulet à la flamme, lavez-le et videz-le. Coupez-le en morceaux que vous enfarinerez. Hachez l'oignon, la carotte et le céleri et faites-les revenir dans 4 cuillerées d'huile; lorsqu'ils commencent à blondir, placez-y les morceaux de poulet. Laissez dorer pendant quelques minutes à feu vif en tournant avec une cuillère de bois afin que la viande s'imprègne de l'arôme du hachis, puis baissez la flamme et ajoutez les tomates pelées et coupées en morceaux et les olives. Salez, poivrez et laissez cuire pendant 40 minutes en tournant délicatement de temps à autre.

Bien souvent ce plat est enrichi de champignons secs (préalablement trempés dans l'eau). Mais je trouve la recette traditionnelle (sans les champignons) meilleure, car l'on y sent mieux le goût du poulet.
Le nom de ce plat, qui se perd dans la nuit des temps, reste pour le moment un mystère; car peut-on imaginer des chasseurs préparant avec patience et délicatesse un bon petit plat comme celui-ci?
Quoi qu'il en soit, c'est une recette que l'on déguste encore souvent à Florence et en Toscane car elle a l'avantage d'être simple et rapide.

Saucisses et haricots se marient ici pour un plat robuste et relevé, adouci par l'arôme de la sauge, de l'ail et de la tomate, idéal pour réchauffer quelque froide soirée d'hiver mais aussi en été, servi par exemple sur un buffet comme plat principal, parmi les saucissons, les fromages et les bons vins...

SALSICCE E FAGIOLI

Saucisses aux haricots

400 gr de haricots
5 saucisses aillées bien relevées
1 bouquet de sauge
1/2 litre de sauce tomate
3 gousses d'ail
huile d'olive

Portions: 4
Temps de préparation: 15'
Temps de cuisson: 30'+40'
Difficulté: ●●
Goût: ●●●
Kcal (par portion): 1082
Protéines (par portion): 54
Mat. gr. (par portion): 73
Apport nutritionnel: ●●●

Faites cuire les haricots pendant 40 minutes (2 heures si vous utilisez des haricots secs). Coupez les saucisses en petits morceaux que vous ferez cuire lentement dans une casserole avec 2 gousses d'ail et la sauge en piquant avec une fourchette afin qu'elles cuisent bien à l'intérieur. Une fois cuites elles devront être croustillantes. A ce point ajoutez la purée de tomates, salez et poivrez et faites réduire le jus à feu moyen pendant 10 minutes. Ajoutez alors les haricots et faites encore revenir quelques minutes à feu doux en tournant délicatement .

Tonneaux de Brunello di Montalcino dans une cave.

SALSICCE E UVA

Saucisses et raisins

6 saucisses aillées
1 grappe de raisin noir
50 gr de beurre
1 verre de vin rouge

Portions: 4
Temps de préparation: 10'
Temps de cuisson: 15'
Difficulté: ●●
Goût: ●●
Kcal (par portion): 986
Protéines (par portion): 35
Mat. gr. (par portion): 88
Apport nutritionnel: ●●●

Coupez les saucisses en morceaux (si vous avez des saucisses de sanglier, utilisez-en une dizaine que vous mouillerez avec un peu d'eau pour qu'elles cuisent mieux) et faites-les rissoler à feu moyen 10 minutes dans le beurre. Mouillez avec le vin, ajoutez les grains de raisins, donnez un dernier bouillon et servez chaud.

A l'époque de la vendange l'on sentait partout l'odeur incomparable des saucisses cuisinées avec le vin rouge et les raisins. Dans les hangars des fermes, de grosses casseroles de saucisses et raisins fumaient sur les tables et tous se servaient dans l'allégresse en trempant leur pain dedans.

SPIEDINI ALLA FIORENTINA

Brochettes à la toscane

300 gr de foie de porc
200 gr d'échine de porc
100 gr de crépine de porc
3 saucisses aillées
pain rassis
sauge et laurier
huile d'olive

Portions: 4
Temps de préparation: 30'
Temps de cuisson: 30'+10
Difficulté: ●
Goût: ●●●
Kcal (par portion): 881
Protéines (par portion): 44
Mat. gr. (par portion): 71
Apport nutritionnel: ●●●

A l'origine ces brochettes comprenaient également des alouettes, des grives, des étourneaux et des pinsons, de nos jours pratiquement introuvables car la chasse, à tort ou à raison, est de moins en moins pratiquée. C'est-à-dire qu'il est aisé de les voir voleter et sautiller mais beaucoup plus difficile, au grand dam des gourmets, de les trouver prêts à cuisiner. Je n'oublie pas les fêtes que nous faisions aux compagnons de chasse de mon grand-père de retour de leurs battues, et les brochettes qui rissolaient sur le feu et dont le gras grésillait en tombant sur les braises.

Lavez et faites amollir la crépine de porc dans de l'eau tiède; découpez-y des carrés dans lesquels vous envelopperez le foie coupé en morceaux de 5 centimètres de long environ. Coupez également en morceaux l'échine et les saucisses. Coupez le pain rassis en morceaux, de préférence la partie avec la croûte qui grillera agréablement à la cuisson. Préparez les brochettes en alternant régulièrement les ingrédients et en intercalant entre eux alternativement une feuille de laurier et une de sauge (l'ordre sera donc le suivant: pain, laurier, foie, sauge, pain, laurier, échine, sauge, et ainsi de suite). Salez, poivrez.
Mettez ces brochettes à cuire, de préférence au feu de bois sur un gril tournant, en badigeonnant souvent avec un pinceau trempé dans l'huile. Si vous n'avez pas de feu de bois, placez les brochettes dans un plat à four avec à peine un filet d'huile, ne salez et ne poivrez qu'à mi-cuisson, au moment où vous les retournerez.

STUFATO DI VITELLA CON I FUNGHI

Ragoût de veau aux champignons

500 gr de gîte de veau
1 oignon moyen
2 gousses d'ail
1 petit bouquet de "nepitella"
300 gr de bolets frais
1/2 litre de purée de tomates
1 verre de bouillon de légumes
huile d'olive

Portions: 4
Temps de préparation: 25'
Temps de cuisson: 45'
Difficulté: ●●
Goût: ●●●
Kcal (par portion): 368
Protéines (par portion): 28
Mat. gr. (par portion): 23
Apport nutritionnel: ●

Hachez l'ail et l'oignon et faites-les revenir dans une casserole avec 4 cuillerées d'huile. Coupez le gîte en morceaux gros comme une noix. Lorsque ce hachis commencera à blondir, jetez-y le veau; faites bien rissoler à feu vif pendant 5 minutes en tournant souvent avec une cuillère en bois. Ajoutez le bouillon et laissez cuire à feu très doux pendant encore 20 minutes. Entre temps, nettoyez bien les bolets et coupez-les en lamelles (y compris les pieds si ceux-ci sont bien sains). Mettez dans la casserole la purée de tomates et les champignons, parfumez avec le bouquet de menthe pouliot. Laissez cuire à couvert à feu moyen pendant 20 minutes et servez bien chaud.
Assurez-vous que la viande est cuite en la piquant d'une fourchette; elle devra être extrêmement tendre, sinon donnez un autre bouillon en ajoutant, si nécessaire, quelques cuillerées de bouillon. Ce ragoût est délicieux servi avec une polenta un peu liquide.

TRIPPA ALLA FIORENTINA ▶

Tripes à la florentine

1 kg de tripes
2 oignons rouges
2 carottes
1 céleri
1/2 kg de tomates pelées
parmesan
huile d'olive

Portions: 6
Temps de préparation: 20'
Temps de cuisson: 1h 20'
Difficulté: ●●
Goût: ●●●
Kcal (par portion): 465
Protéines (par portion): 47
Mat. gr. (par portion): 26
Apport nutritionnel: ●●

Lavez les tripes et découpez-les en bandelettes. Hachez les oignons, les carottes et le céleri et faites-les revenir avec 6 cuillerées d'huile. Ajoutez les tripes et, en tournant souvent, faites bien prendre goût. Lorsqu'elles auront rendu une partie de leur eau, après 20 minutes, ajoutez les tomates pelées et égouttées, salez, poivrez et continuez la cuisson pendant une heure environ à feu moyen, en remuant souvent. Servez bien chaud et saupoudré de parmesan râpé.

Une version plus riche de ce plat prévoit l'adjonction de viande hachée que vous ferez revenir en même temps que le hachis et porterez à un quart de sa cuisson avant d'ajouter les tripes. Je trouve que cette variante rend un peu lourde la recette, et que le goût de la viande hachée se marie mal avec celui des tripes. Quoiqu'il en soit, ce plat célèbre dans le monde entier est encore populaire dans les familles toscanes, en partie parce que les tripes sont aussi économiques qu'excellentes et faciles à trouver.

1 kg de tripes
4 carottes
2 oignons blancs
250 gr de beurre
1 litre de vin blanc sec
persil haché

Portions: 6
Temps de préparation: 15'
Temps de cuisson: 2h
Difficulté: ●●
Goût: ●●
Kcal (par portion): 970
Protéines (par portion): 33
Mat. gr. (par portion): 72
Apport nutritionnel: ●●●

TRIPPA BOLLITA NEL VIN BIANCO

Tripes au vin blanc

Hachez les oignons et les carottes et faites-les revenir doucement dans le beurre. Lorsqu'ils seront dorés, ajoutez les tripes que vous aurez lavées et coupées en bandelettes.
Laissez cuire à feu doux pendant 2 heures en remuant souvent et en ajoutant le vin blanc au fur et à mesure.
Salez, poivrez et servez bien chaud, saupoudré de persil haché.

VALIGETTE ALLA VERZA

Feuilles de chou farcies

1 chou frisé
400 gr de viande maigre hachée (ou de reste de pot-au-feu)
1 gousse d'ail
2 œufs
1 cuillerée de parmesan
1 petit bouquet de persil
300 gr de purée de tomates
huile d'olive
piment

Portions: 6
Temps de préparation: 25'
Temps de cuisson: 1h
Difficulté: ●●●
Goût: ●●
Kcal (par portion): 404
Protéines (par portion): 33
Mat. gr. (par portion): 27
Apport nutritionnel: ●●

Je vois encore les mains de ma belle-mère tandis qu'elle préparait ces feuilles de chou farcies et les pressait un peu pour bien faire adhérer la feuille à la farce. En lisant cette recette, l'on pourra s'étonner que je ne conseille pas de lier ces feuilles de chou. Mais si vous y prenez garde ces feuilles de chou, si vous les faites bien adhérer, resteront hermétiquement fermées.

Procurez-vous un beau chou frisé; ôtez-lui les feuilles extérieures, trop dures. Détachez de grandes et belles feuilles dont la côte ne soit pas trop dure, faites-les cuire pendant 10 minutes dans de l'eau bouillante salée; puis sortez-les une à une avec une écumoire et mettez-les à sécher sur un linge. Préparez une farce avec la viande hachée (ou le reste de pot-au-feu haché menu), les œufs, l'ail et le persil hachés. Amalgamez bien et faites cuire 10 minutes. Placez une cuillerée de ce mélange sur chaque feuille que vous refermerez bien serré pour en faire un petit baluchon.
Placez ces baluchons dans un plat à four avec 8 cuillerées d'huile et faites cuire doucement pendant 20 minutes. Ajoutez alors les tomates pelées bien égouttées et retournez délicatement les paupiettes; salez, poivrez (ou, si vous l'aimez, saupoudrez de très peu de piment) et laissez encore cuire 20 minutes. Ces paupiettes sont aussi bonnes chaudes que froides, éventuellement saupoudrées de parmesan.

Poissons et mollusques

4

Baccalà alla livornese

Morue à la mode de Livourne

800 gr de morue déjà dessalée
2 poireaux
300 gr de tomates pelées
4 gousses d'ail
persil
farine
huile d'olive

Portions: 4
Temps de préparation: 20'
Temps de cuisson: 20'+20'
Difficulté: ●●
Goût: ●●●
Kcal (par portion): 300
Protéines (par portion): 37
Mat. gr. (par portion): 11
Apport nutritionnel: ●

La recette toscane la plus classique prévoit que l'on ait au préalable préparé dans une casserole une sauce tomate, c'est-à-dire que l'on ait fait blondir un hachis d'ail et de poireaux avec 4 cuillerées d'huile et que l'on y ait fait mitonner pendant un quart d'heure des tomates pelées (préalablement passées à la moulinette). Coupez la morue en morceaux (au moins 6), retirez les arêtes, enfarinez-la et faites frire dans une grande quantité d'huile. Laissez dorer à feu moyen des deux côtés puis séchez les morceaux sur une feuille de papier absorbant et plongez-les dans la sauce tomate pour un dernier frémissement. Saupoudrez généreusement de persil haché fin.
Une proposition insolite: utilisez cette morue pour assaisonner des pâtes, spaghettis ou "bavette". Dans ce cas vous augmenterez la quantité de sauce tomate (passant de 300 à 5-600 grammes) et, lorsque vous aurez frit la morue, vous l'émietterez avec les mains (en enlevant d'éventuelles arêtes oubliées) et la remettrez dans la sauce, à laquelle vous ajouterez une dose généreuse de piment et du persil haché.

BACCALÀ CON I PORRI

Morue aux poireaux

Retirez les arêtes de la morue. Coupez-la en gros morceaux que vous enfarinerez, puis ferez frire dans de l'huile bien chaude (mais non fumante). Faites dorer des deux côtés, essuyez sur une feuille de papier absorbant. Lavez les poireaux et coupez-les en rondelles; mettez-les dans un plat à four avec 4 cuillerées d'huile et faites rissoler doucement 10 minutes. Ajoutez la purée de tomates et, si nécessaire, une ou deux cuillerées d'eau chaude. Ajoutez la morue et laisser mitonner un quart d'heure.

800 gr de morue déjà dessalée
4 poireaux de grosseur moyenne
farine
300 gr de purée de tomates
huile d'olive

Portions: 4
Temps de préparation: 20'
Temps de cuisson: 40'+20'
Difficulté: ●●
Goût: ●●●
Kcal (par portion): 335
Protéines (par portion): 38
Mat. gr. (par portion): 11
Apport nutritionnel: ●

C'est un plat exquis et délicieux avec un accompagnement de polenta. Parmi les ingrédients je mentionne la purée de tomates; en effet la plupart des anciennes recettes la prévoient, bien que de nos jours l'on tende à ne pas l'utiliser.

L'Arno et le Ponte Vecchio à Florence.

BACCALÀ FRITTO

Morue frite

800 gr de morue déjà dessalée
1 verre de vin blanc
200 gr de farine
persil haché
huile d'olive

Portions: 4
Temps de préparation: 20'
Temps de cuisson: 5'
Difficulté: ●●
Goût: ●●
Kcal (par portion): 456
Protéines (par portion): 8
Mat. gr. (par portion): 26
Apport nutritionnel: ●●●

Le bref bouillon initial allège le goût quelque peu envahissant de ce poisson de la mer Baltique et permet de réaliser un plat qui, bien que frit, n'est ni lourd ni indigeste.

Coupez le filet de morue en morceaux que vous mettrez à cuire dans de l'eau froide.
Sortez-les dès le début de l'ébullition, égouttez-les et séchez-les.
Pour préparer la pâte à frire, procédez comme suit: dans un saladier, délayez la farine dans le vin blanc et suffisamment d'eau pour obtenir un mélange souple et homogène. Salez et ajoutez le persil haché.
Plongez avec soin dans la pâte chaque morceau de morue que vous ferez frire dans de l'huile bien chaude.
Faites dorer de tous côtés et servez bien chaud, abondamment garni de persil et de quartiers de citrons.

Cacciucco

1 kg $^{1}/_{2}$ d'assortiment de poissons (rouget, grondin, sole, chien de mer, cigales de mer, mollusques et tout ce qu'il vous plaira..)
1 verre de vin blanc
500 gr de conserve de tomates
pain toscan (ou en tout cas non salé) rassis
ail, piment, persil
huile d'olive

Portions: 4-6
Temps de préparation: 30'
Temps de cuisson: 45'
Difficulté: ●●
Goût: ●●●
Kcal (par portion): 503
Protéines (par portion): 47
Mat. gr. (par portion): 13
Apport nutritionnel: ●●

Lorsque vous choisirez les poissons, ne faites pas l'erreur de mépriser les exemplaires les plus humbles et laids, dont la saveur vous réservera des surprises. Videz et lavez les poissons - opération dont peut se charger votre poissonnier -. Dans une grande casserole, faites blondir l'ail dans 4 cuillerées d'huile, ajoutez le piment (la pointe d'un couteau) et le vin blanc, faites évaporer, ajoutez la tomate et laissez mitonner 5 minutes à feu doux. Ajoutez le poisson, à commencer par celui qui demande une cuisson plus longue (le chien de mer) et en finissant par celui qui en demande le moins (le rouget). Une fois tous les poissons dans la casserole, laissez cuire à feu moyen pendant encore un quart d'heure en tournant délicatement les poissons avec une cuillère de bois pour qu'ils s'imprègnent bien de sauce. Préparez des tranches de pain grillé, frottez-les généreusement d'ail, mettez une tranche dans l'assiette creuse de chacun des convives, recouvrez de poissons en arrosant généreusement avec le bouillon de cuisson et servez aussitôt, saupoudré de persil si vous l'aimez.

Cette succulente soupe de poissons - qu'en hommage aux nouvelles habitudes alimentaires je propose comme plat principal ou mieux comme plat unique et non pas comme entrée - est généralement attribuée à la tradition culinaire de Livourne. Mais puisque Livourne a été fondée par Florence, l'on peut dire qu'elle appartient à la cuisine toscane et donc universelle tout court.

INZIMINO DI SEPPIE

Seiches à l'inzimino

1 kg de seiches (ou de calmars)
2 bouquets de bettes
2 gousses
1 verre de vin blanc
1 petit bouquet de persil
200 gr de sauce tomate
huile d'olive

Portions: 6
Temps de préparation: 30'
Temps de cuisson: 1h env.
Difficulté: ●●
Goût: ●●●
Kcal (par portion): 349
Protéines (par portion): 40
Mat. gr. (par portion):14
Apport nutritionnel: ●

Retirez la côte des bettes, lavez-les et cuisez-les à l'eau bouillante. Egouttez-les et essorez-en bien l'eau de cuisson. Nettoyez les mollusques - une opération à laquelle votre poissonnier se prêtera bien volontiers - en enlevant la poche d'encre et le bec du milieu, coupez le sac en anneau et les tentacules en petits morceaux. Faites revenir les deux gousses d'ail dans 3 cuillerées d'huile et quand elles blondissent ajoutez les mollusques et le vin blanc. Couvrez et laissez cuire à feu doux pendant 10 minutes environ.
Ajoutez les bettes que vous aurez préalablement hachées, le sel, le poivre et la sauce tomate. Laissez cuire, toujours à couvert, pendant environ 40 minutes.
Pourquoi aussi des calmars, demanderez-vous, alors que la recette traditionnelle prévoit les seiches? Parce que les calmars sont plus tendres et plus délicats.

La splendide crique de Procchio, sur l'île d'Elbe.

1 poulpe d'environ 1 kg
1 branche de céleri
1 carotte
2 feuilles de laurier
5 grains de poivre noir
vin blanc
vinaigre rouge
citrons à zeste fin
persil
huile d'olive

Portions: 4
Temps de préparation: 30'
Temps de cuisson: 1h 30'+2h
Difficulté: ●●
Goût: ●●
Kcal (par portion): 245
Protéines (par portion): 28
Mat. gr. (par portion): 13
Apport nutritionnel: ●

POLPO MARINATO

Poulpe mariné

Après avoir nettoye le poulpe, mettez-le dans une casserole d'eau froide avec le céleri et la carotte en morceaux, le laurier, un verre de vin blanc et le poivre. Couvrez et, lorsque l'eau commence à bouillir, baissez la flamme: laissez mitonner, toujours couvert, pendant une heure et demie. Ne mangez pas le poulpe à peine cuit mais laissez-le refroidir dans son eau de cuisson; ensuite, coupez-le en morceaux que vous mettrez dans un saladier. Arrosez d'huile, d'un verre de vinaigre, du jus des citrons (mettez aussi le zeste de ceux-ci coupé fin). Pour finir, saupoudrez de persil. Attendez au moins une heure encore avant de déguster.

Bocca di Magra: la mer et les Alpes Apuanes.

ŒUFS ET OMELETTES

5

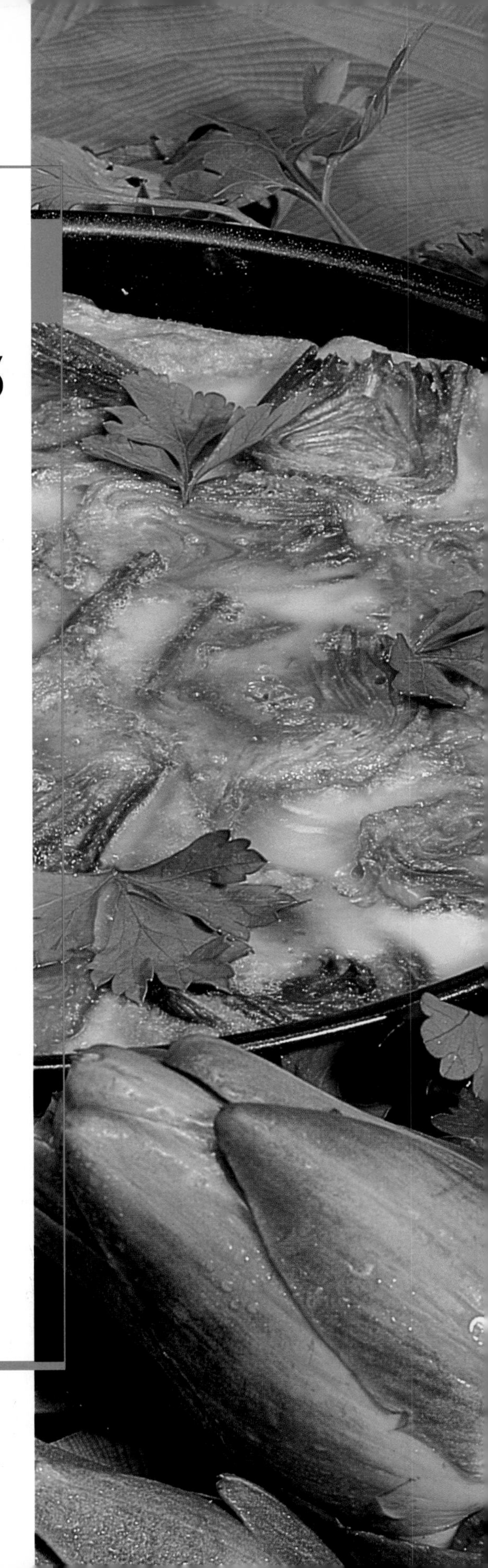

FRITTATA DI RICOTTA

Omelette à la ricotta

200 gr de ricotta de brebis
50 gr de parmesan râpé
6 œufs
1/2 oignon blanc
2 tomates bien mûres
huile d'olive

Portions: 4
Temps de préparation: 20'+20'
Temps de cuisson: 35'
Difficulté: ●●
Goût: ●●
Kcal (par portion): 404
Protéines (par portion): 27
Mat. gr. (par portion): 30
Apport nutritionnel: ●●

Dans un saladier, travaillez à la cuillère de bois le parmesan avec la ricotta (que vous aurez séchée sur un linge); salez, poivrez et laissez reposer. Faites revenir l'oignon coupé en tranches et les tomates hachées dans 2 cuillerées d'huile pendant 10 minutes. Battez les œufs, chauffez une autre petite poêle antiadhésive: faites-y couler un filet d'huile et renversez-y une louche du mélange. Laissez cuire l'omelette, piquez-la à plusieurs reprises et ôtez-la du feu sans la retourner. Faites de la même manière 2 autres petites omelettes farcies de ricotta et de parmesan. Roulez chaque omelette sur elle-même en forme de rouleau et placez-la dans la sauce des tomates. Cuisez à feu vif quelques minutes et servez accompagné de sauce.

Autrefois l'on disait "beurre de vache", "fromage de brebis", "ricotta de chèvre", parce que vraisemblablement les ingrédients étaient vraiment ceux-là. De nos jours il n'est pas toujours possible de trouver de l'authentique ricotta de chèvre mais on trouve de la ricotta de brebis non traitée. Attention, en juin et juillet les brebis ont leurs petits et donc leur lait est plus difficile à trouver. A bon entendeur...

FRITTATA DI CIPOLLE

Omelette aux oignons

6 oignons rouges
2 cuillerées d'huile d'olive
4 œufs

Portions: 4
Temps de préparation: 10'
Temps de cuisson: 20'
Difficulté: ●●
Goût: ●●
Kcal (par portion): 253
Protéines (par portion): 15
Mat. gr. (par portion): 16
Apport nutritionnel: ●

Coupez les oignons en rondelles que vous mettrez à dorer dans une poêle. Battez les œufs et versez-les dans la poêle en haussant un peu la flamme. Laissez prendre d'un côté, retournez l'omelette et dorez de l'autre côté.

Cette omelette est aussi bonne chaude que froide. Une manière appétissante de la présenter: coupez des petits croûtons de pain et des dés d'omelette (que vous aurez faite plus épaisse et plus dure) et de potiron (l'hiver) ou de melon (l'été), que vous alternerez sur des brochettes de bois.

FRITTATA DI POMODORI VERDI

Omelette aux tomates vertes

2 tomates encore vertes
4 œufs
huile d'olive

Lavez bien les tomates et coupez-les en tranches horizontalement, c'est-à-dire dans le sens de la largeur; je conseille aussi de retirer avec soin les graines.
Enfarinez les tranches de tomate et faites-les frire dans une grande quantité d'huile bien chaude, en ayant soin de les dorer des deux côtés. Lorsqu'elles sont bien cuites (comptez 10 minutes en tout pour une bonne friture qui les laissera assez élastiques), mettez-les dans un plat allant au four.
Versez dessus les œufs qu'au préalable vous aurez rapidement battus.
Passez à four bien chaud pendant 5/7 minutes et servez cette omelette très chaude et encore baveuse (ou, si vous le préférez, bien cuite au four avec les tomates croquantes).

Portions: 4
Temps de préparation: 20′
Temps de cuisson: 20′
Difficulté: ●●
Goût: ●●
Kcal (par portion): 203
Protéines (par portion): 9
Mat. gr. (par portion): 17
Apport nutritionnel: ●

FRITTATA DI FIORI DI ZUCCA

Omelette aux fleurs de courgettes

500 gr de fleurs de courgette
2 gousses d'ail
6 œufs frais
"nepitella" (menthe pouliot)
huile d'olive

Portions: 6
Temps de préparation: 20′
Temps de cuisson: 20′
Difficulté: ●●
Goût: ●●●
Kcal (par portion): 287
Protéines (par portion): 17
Mat. gr. (par portion): 23
Apport nutritionnel: ●

Nettoyez les fleurs de courgette en leur laissant le pistil et coupez-les en morceaux. Dans une casserole avec un peu d'huile, une poignée de menthe pouliot et l'ail, cuisez-les rapidement. Laissez-les refroidir et ajoutez-y les œufs battus. Faites frire le tout dans une poêle à peine huilée et préparez une omelette moelleuse.

Bien que dans ma recette la menthe pouliot joue un rôle important, je peux vous assurer un excellent résultat même sans elle. A la place vous pouvez mettre une pincée de thym (même séché). Mais – attention! – seulement une pincée!

TORTINO DI CARCIOFI

Omelette aux artichauts

6 artichauts petits et tendres
6 œufs frais
farine blanche
huile d'olive

Portions: 6
Temps de préparation: 20′
Temps de cuisson: 20′
Difficulté: ●●
Goût: ●●
Kcal (par portion): 305
Protéines (par portion): 16
Mat. gr. (par portion): 21
Apport nutritionnel: ●

Nettoyez les artichauts et ôtez-leur la queue; coupez-les en tranches pas trop fines, enfarinez-les et faites-les frire dans un récipient pouvant ensuite aller au four. Lorsqu'ils sont dorés de tous côtés, versez dessus les œufs battus et légèrement salés et poivrés. Vous ferez votre omelette plus ou moins baveuse selon votre goût; vous pourrez la mettre à four chaud pendant quelques minutes ou encore la manger ainsi, encore bien baveuse et appétissante.

TORTINO ALLA FIORENTINA

Omelette à la florentine

Coupez les courgettes en rondelles et faites-les dorer dans une poêle avec 2 cuillerées d'huile: retournez-les pour bien les dorer de tous côtés. Battez rapidement les œufs en y ajoutant le lait, du sel et du poivre. Lorsque les courgettes sont bien cuites (elles devront cuire lentement pendant environ un quart d'heure), jettez-y les œufs battus; laissez prendre cette omelette d'un côté puis, en vous aidant d'un couvercle, retournez-la et faites-la dorer de l'autre côté. Servez saupoudré de marjolaine.

Cette omelette traditionnelle de notre région est exquise, en particulier l'été lorsqu'on trouve les courgettes fraîches (celles qui "chantent", c'est-à-dire que lorsqu'on les frotte dans la main elle font un bruit joyeux), et elle est aussi excellente le lendemain.

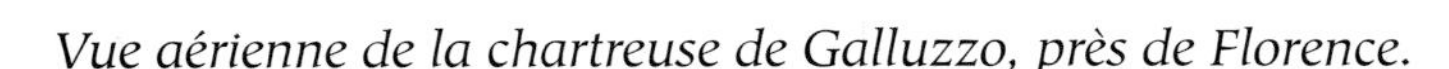

Vue aérienne de la chartreuse de Galluzzo, près de Florence.

300 gr de courgettes petites et bien fraîches
5 œufs entiers
1/2 verre de lait
1 pincée de marjolaine
huile d'olive

Portions: 4
Temps de préparation: 15′
Temps de cuisson: 30′
Difficulté: ●●
Goût: ●●
Kcal (par portion): 271
Protéines (par portion): 15
Mat. gr. (par portion): 22
Apport nutritionnel: ●

UOVA AL POMODORO

Œufs à la tomate

5 œufs frais
2 tomates bien mûres
basilic
huile d'olive

Portions: 4
Temps de préparation: 10'
Temps de cuisson: 15'
Difficulté: ●●
Goût: ●●
Kcal (par portion): 265
Protéines (par portion): 14
Mat. gr. (par portion): 22
Apport nutritionnel: ●

Faites cuire les tomates pendant 10 minutes dans une petite casserole avec 2 cuillerées d'huile. Salez, poivrez, cassez-y les œufs et mélangez délicatement pour ne pas briser les jaunes. Mettez une pincée de sel et de poivre et laissez sur le feu jusqu'à ce que les blancs soient pris. Servez bien chaud, garni de feuilles de basilic.

LÉGUMES ET GARNITURES

6

ASPARAGI ALLA FIORENTINA

Asperges à la florentine

1 kg d'asperges vertes
80 gr de beurre
4 œufs
parmesan râpé
poivre moulu au dernier moment

Portions: 4
Temps de préparation: 15'
Temps de cuisson: 30'
Difficulté: ●●
Goût: ●●
Kcal (par portion): 194
Protéines (par portion): 19
Mat. gr. (par portion): 34
Apport nutritionnel: ●●●

Lavez les asperges, grattez-les, puis liez-les en une botte que vous mettrez à cuire debout dans de l'eau froide jusqu'en haut du blanc. Couvrez et faites bouillir pendant un quart d'heure sans jamais soulever le couvercle. Sortez-les de la casserole et vérifiez la consistance. Eliminez la partie blanche ligneuse et mettez les pointes vertes dans une poêle où vous aurez fait fondre le beurre. Faites rissoler les asperges à feu doux pendant 5 minutes en les retournant, puis saupoudrez généreusement de parmesan râpé, salez et poivrez. Disposez les asperges sur un plat de service, dirigées vers l'intérieur, et servez-les avec les œufs qu'à part vous aurez cuits sur le plat, à raison d'un œuf par convive, posé sur les pointes vertes des asperges.

BACCELLI STUFATI

Fèves à l'étouffée

2 kg de fèves fraîches
1 oignon blanc
4 belles tomates rouges bien mûres
basilic
huile d'olive

Portions: 6
Temps de préparation: 30'
Temps de cuisson: 35'
Difficulté: ●●
Goût: ●●●
Kcal (par portion): 646
Protéines (par portion): 42
Mat. gr. (par portion): 15
Apport nutritionnel: ●●●

Ecossez les fèves. Après quoi, faites blondir l'oignon avec 4 cuillerées d'huile dans une casserole. Ajoutez les graines des fèves, les tomates pelées et coupées en morceaux, des feuilles de basilic, du sel et du poivre. Couvrez et faites cuire doucement une demi-heure en tournant. En fin de cuisson vous pourrez ajouter une pointe de purée de piment.

Vue de la Piazza dei Miracoli à Pise, avec la fontaine dite des Putti et la célèbre Tour penchée.

CARDI TRIPPATI

Cardons sautés

800 gr de cardons
100 gr de beurre
1 oignon blanc
1 citron
1 cuillerée de farine
parmesan râpé

Portions: 6
Temps de préparation: 20′
Temps de cuisson: 2h 10′
Difficulté: ●●
Goût: ●
Kcal (par portion): 257
Protéines (par portion): 6
Mat. gr. (par portion): 28
Apport nutritionnel: ●●●

Nettoyez bien vos cardons (choisissez-les petits ou moyens: les gros sont fibreux), ôtez-leur les côtes extérieures filamenteuses; coupez les plus tendres en morceaux assez longs et coupez aussi le cœur en petits morceaux. Plongez le tout dans de l'eau acidulée avec du citron car les cardons ont tendance à noircir. Faites-les cuire dans de l'eau légèrement salée avec une cuillerée de farine qui leur conservera leur belle couleur blanche. Laissez cuire doucement pendant deux heures. Dans le beurre faites revenir l'oignon haché; lorsque celui-ci blondit ajoutez les cardons bien égouttés et faites rissoler doucement pendant 10 minutes. Mettez le tout dans un plat chaud et servez brûlant, généreusement saupoudré de parmesan.

Fagioli all'olio

Haricots à l'huile

500 g de haricots blancs
("cannellini" ou "toscanelli")
huile d'olive
poivre en grains à moudre
au dernier moment
4 gousses d'ail
1 petite branche de sauge

Portions: 6
Temps de préparation: 6'
Temps de cuisson: 45'
Difficulté: ●●
Goût: ●●
Kcal (par portion): 370
Protéines (par portion): 22
Mat. gr. (par portion): 12
Apport nutritionnel: ●●●

Si vous disposez de haricots frais (s'ils sont secs vous les ferez préalablement tremper toute la nuit dans de l'eau additionnée d'une cuillerée de bicarbonate), écossez-les et faites cuire les graines à peine recouvertes d'eau salée, avec l'ail et la sauge. Laissez cuire à feu doux pendant 3/4 d'heure, sans jamais soulever le couvercle. Servez bien chaud, généreusement arrosé d'huile d'olive vierge de toute première qualité et parsemé de poivre moulu au dernier moment (si vous l'aimez bien entendu).

Choisissez des haricots blancs et petits, si vous ne disposez pas des célèbres "toscanelli". Ce ne sera pas si difficile d'en trouver, car on cultive presque partout des espèces à graine ronde et petite (celles provenant du Canada sont excellentes). Les cuire à point n'est pas chose aisée, et je me rappelle mes expériences de jeune fille inexpérimentée, la triste bouillie farineuse ou encore les morceaux durs et flottant dans la casserole que ma mère et ma grand-mère regardaient d'un air perplexe. Et en effet l'unique secret pour réussir ce plat par ailleurs simple est la cuisson; une cuisson lente, tranquille et surtout impérativement à couvert. C'est tout. Un plat de haricots arrosés de notre bonne huile d'olive, une belle tranche de pain toscan, un bon petit vin, telle est la suggestion de mon mari qui ne se lasse jamais de ce plat... Goûtez-le en juin à la campagne, à l'ombre d'une tonnelle, et vous comprendrez le secret de notre cuisine.

FAGIOLI ALL'UCCELLETTO

Haricots à l'étouffée

800 gr de haricots blancs
(300 gr s'ils sont secs)
3 gousses d'ail
1 bouquet de sauge
5 tomates mûres
huile d'olive
piment

Portions: 6
Temps de préparation: 10'
Temps de cuisson: 1h env.
Difficulté: ●●
Goût: ●●●
Kcal (par portion): 335
Protéines (par portion): 14
Mat. gr. (par portion): 11
Apport nutritionnel: ●●●

Faites cuire les haricots à l'eau avec une cuillerée d'huile (s'ils sont secs vous les aurez fait tremper 2 heures) et arrêtez la cuisson quand ils sont encore fermes. Dans une casserole faites revenir l'ail et la sauge avec 6 cuillerées d'huile et versez-y les tomates pelées et coupées en morceaux. Laissez réduire une dizaine de minutes à feu moyen en tournant. Ajoutez les haricots et un peu de leur eau de cuisson. Laissez mitonner à feu doux un quart d'heure, ajoutez du sel, du poivre et (si vous l'aimez) une pointe de piment.

C'est un classique de la tradition toscane, et il en émane, dans sa simplicité, un magistral éventail de saveurs. L'origine du nom "all'uccelletto" reste un mystère, comme c'est le cas pour beaucoup de nos plats traditionnels. L'hypothèse la plus vraisemblable veut que ce soit une allusion à la présence de la sauge, ingrédient inséparable de la cuisson des "uccellini" (petits oiseaux). Curieusement, le grand cuisinier Artusi (qui dans sa recette met d'abord les haricots et après les tomates) préconise de les manger en plat unique ante litteram: "ces haricots se prêtent fort bien à accompagner des viandes bouillies, si on ne veut pas les manger seuls".

FAGIOLI NEL FIASCO

Haricots en fiasque

350 gr de haricots blancs
"toscanelli" secs
feuilles de sauge
gousses d'ail
huile d'olive
poivre en grains

Portions: 4
Temps de préparation: 15'
Temps de cuisson: 2-3h
Difficulté: ●●
Goût: ●●
Kcal (par portion): 370
Protéines (par portion): 22
Mat. gr. (par portion): 12
Apport nutritionnel: ●●●

Mettez les haricots à tremper, une heure environ, dans de l'eau à peine tiède, égouttez-les et glissez-les un par un (le jeu en vaut la chandelle) dans une fiasque à laquelle vous aurez enlevé son paillon, avec la sauge et 2 gousses d'ail. Ajoutez de l'eau froide et de l'huile d'olive jusqu'au goulot de la fiasque. Fermez celui-ci avec de la ouate de sorte que le liquide ne s'échappe pas mais que l'excès de vapeur sorte en cours de cuisson. Si vous avez une cheminée, mettez cette fiasque dans un berceau de cendres et de braises la recouvrant partiellement, assez près des flammes mais pas trop pour que le verre n'éclate pas à la chaleur. Veillez à ce que la chaleur soit toujours uniforme. Si vous n'avez pas de feu de bois, faites cuire les haricots dans le fond d'une casserole où vous aurez entortillé un torchon en guise de nid; posez-y la fiasque debout et versez de l'eau dans la casserole presque jusqu'au goulot. Lorsque l'eau bout, baissez la flamme et laissez cuire pendant deux heures. N'oubliez pas d'ajouter de l'eau chaude au fur et à mesure qu'elle s'évaporera. Les haricots cuits dans la fiasque sont aussi bons chauds que froids, naturellement arrosés d'huile d'olive et saupoudrés de poivre. Ils seront exquis accompagnés d'oignons nouveaux coupés en tranches fines.

FAGIOLINI IN UMIDO

Haricots verts en sauce

1/2 kilo de haricots verts (de préférence longs)
1 tomate mûre
bouillon
1 oignon
huile d'olive

Portions: 6
Temps de préparation: 15'
Temps de cuisson: 35'
Difficulté: ●●
Goût: ●●
Kcal (par portion): 154
Protéines (par portion): 3
Mat. gr. (par portion): 10
Apport nutritionnel: ●●

Epluchez les haricots en ayant soin de leur enlever le fil. Lavez-les à l'eau courante et égouttez-les. Entre temps, coupez finement l'oignon et faites-le revenir dans une casserole avec 4 cuillerées d'huile. Lorsqu'il blondit, ajoutez la tomate pelée et coupée en morceaux, un verre de bouillon, les haricots et une pincée de sel et de poivre. Couvrez et faites cuire à feu doux pendant une demi-heure.
Le résultat sera un accompagnement parfumé et appétissant, surtout en été, la saison des haricots verts (les haricots longs, en Toscane, sont dits "de Sant'Anna": ils s'appellent ainsi parce qu'ils sont mûrs à l'époque de la sainte Anne, vers fin juillet); il constituera également un excellent plat unique.

FUNGHI FRITTI

Champignons frits

500 gr de bolets
2 œufs
100 gr de farine
huile d'olive

Portions: 4-6
Temps de préparation: 20'
Temps de cuisson: 20'
Difficulté: ●●
Goût: ●●
Kcal (par portion): 414
Protéines (par portion): 12
Mat. gr. (par portion): 32
Apport nutritionnel: ●●●

Certains ne consomment que les chapeaux, moi je trouve que le pied aussi des bolets est excellent, à condition qu'il soit sain. Nettoyez délicatement avec un linge humide les champignons en détachant le pied que vous gratterez avec un couteau. Coupez le tout en petits morceaux que vous mettrez dans un saladier avec les œufs et la farine. Amalgamez bien, puis faites frire les morceaux de champignons dans de l'huile bouillante, en les sortant après quelques minutes, alors qu'il sont dorés et croquants; si vous attendiez davantage ils deviendraient noirs et amers. Mangez-les brûlants. Certaines recettes omettent l'œuf, que moi je suggère de mettre car il donne aux bolets un goût agréable.

PISELLI ALLA FIORENTINA

Petits pois à la florentine

Après avoir écossé et lavé les petits pois, faites-les cuire à la casserole avec l'huile, les gousses d'ail auxquelles vous aurez laissé leur peau et le persil. Mouillez avec un peu d'eau froide et laissez cuire bien couvert pendant un quart d'heure. Ajoutez la poitrine fumée coupée en dés, y compris la partie grasse. Donnez un dernier bouillon, ajoutez le sucre, le sel et un soupçon de poivre.

1 kg de petits pois
100 gr de poitrine fumée
1 citron
3 gousses d'ail
1 bouquet de persil
1 cuillerée à café de sucre
6 cuillerées d'huile d'olive

Portions: 6
Temps de préparation: 15'
Temps de cuisson: 20'
Difficulté: ●●
Goût: ●●
Kcal (par portion): 564
Protéines (par portion): 30
Mat. gr. (par portion): 39
Apport nutritionnel: ●●●

Sedani ripieni

Céleris farcis

1 gros céleri frais
viande de veau hachée, rôti de porc hachée, cuisse d'agneau hachée, foies de volaille: 100 gr de chaque
jambon cuit et mortadelle: 50 gr de chaque
2 œufs + 2 jaunes
50 gr de parmesan
purée de tomates
vin blanc
oignon, céleri, carotte
huile d'olive

Portions: 6
Temps de préparation: 20'
Temps de cuisson: 35'
Difficulté: ●●
Goût: ●●
Kcal (par portion): 537
Protéines (par portion): 28
Mat. gr. (par portion): 30
Apport nutritionnel: ●●●

Choisissez les branches les plus tendres. Lavez-les et blanchissez-les à l'eau bouillante. Egouttez-les et mettez-les à sécher sur un linge. Dans un saladier, mélangez les trois types de viande avec la mortadelle et le jambon haché, les jaunes et le parmesan râpé. Amalgamez bien tous les ingrédients et farcissez-en les branches de céleri que vous aurez ouvertes et aplaties. Refermez-les, passez-les dans l'œuf battu et faites-les frire à feu doux dans une poêle avec 6 cuillerées d'huile, 20 minutes en les retournant. Dans une casserole, faites dorer un hachis d'oignon, céleri, carotte, ajoutez les foies de volaille hachés et un verre de vin. Laissez rissoler 10 minutes et ajoutez la purée de tomates. Mettez les céleris farcis dans cette sauce, donnez un dernier bouillon, salez et poivrez. Servez bien chaud.

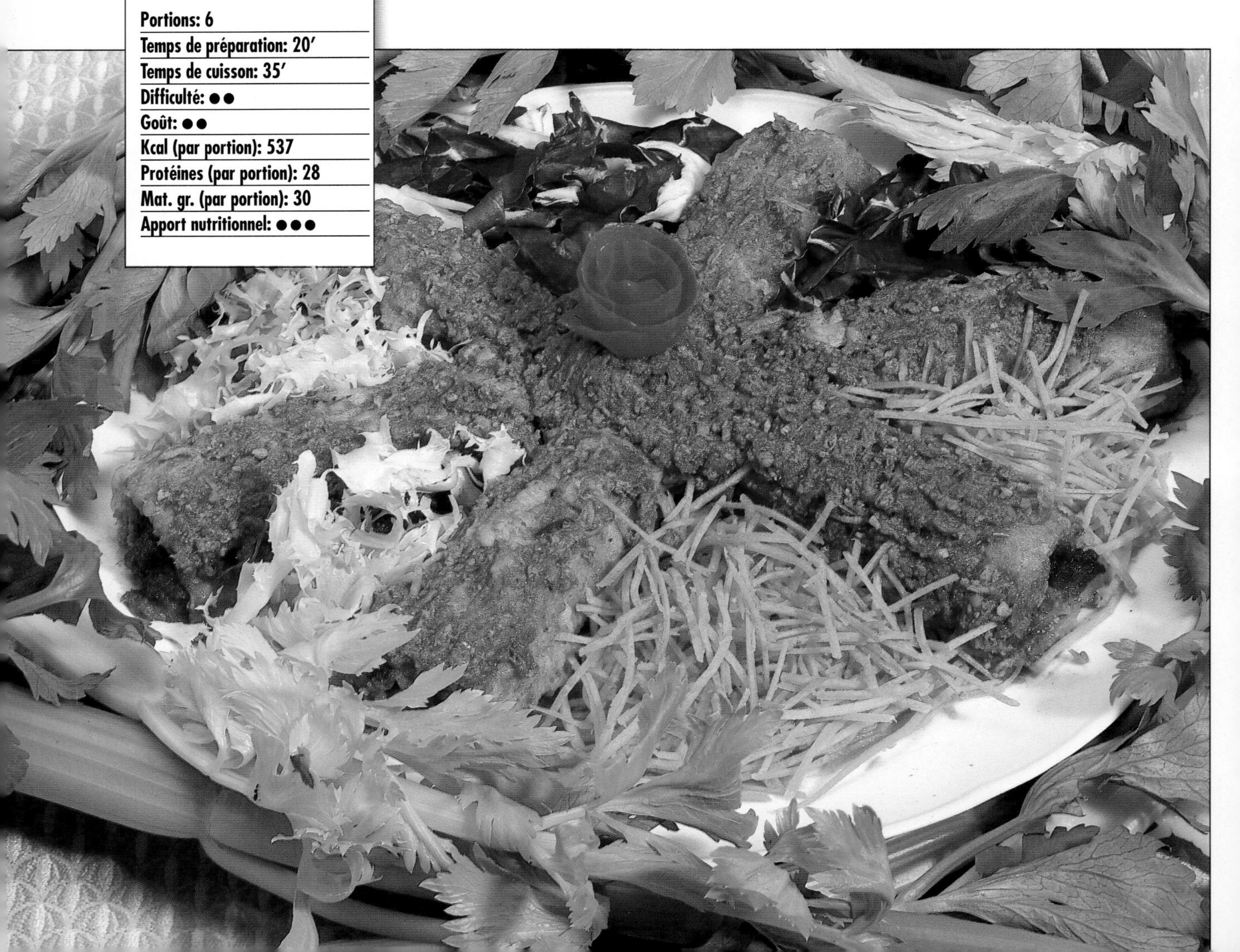

DESSERTS ET BISCUITS

7

500 gr de farine
400 gr de sucre
250 gr d'amandes
3 œufs + 2 jaunes
1 œuf battu
1 cuillerée à café de levure pour desserts

Portions: 6
Temps de préparation: 30'
Temps de cuisson: 1h
Difficulté: ●●●
Kcal (par portion): 1350
Protéines (par portion): 41
Mat. gr. (par portion): 46
Apport nutritionnel: ●●●

Biscotti di Prato

Mélangez bien tous les ingrédients en les amalgamant (pas l'œuf battu); si nécessaire, ajoutez quelques gouttes de lait, sans oublier que le résultat doit être homogène mais pas collant. Avec les mains, formez deux rouleaux de 10 cm de large environ et de 30 cm de long, badigeonnez-les d'œuf battu et saupoudrez de sucre. Placez-les dans un plat à four dont vous aurez tapissé le fond de papier huilé (il existe du papier spécial pour cuisson au four) et laissez cuire à basse température pendant au moins une heure. Lorsque la surface sera dorée et croquante, ôtez du four et coupez les biscuits encore chauds en larges tranches obliques d'un centimètre d'épaisseur, en vous aidant d'un couteau à large lame. Une fois les biscuits froids, enfermez-les dans des récipients à fermeture hermétique sinon ils ramolliraient. Ils sont délicieux avec du vinsanto.

BRUCIATE

Marrons grillés

Pratiquez une incision dans la peau du marron (ou, selon une expression toscane quelque peu inquiétante, "castrez-les") et mettez-les à cuire dans la poêle spéciale à fond percé, sur feu vif et en tournant souvent. L'idéal serait un feu de bois, mais si vous n'avez pas de cheminée, le gril de votre cuisinière fera l'affaire. Lorsque les marrons sont cuits et un peu brûlés (si la peau est légèrement carbonisée, aucun problème), renversez-les dans un tissu de laine et laissez-les "fumer" un peu. Mangez-les encore brûlants.

1 kg de marrons

Portions: 4-6
Temps de préparation: 15'
Temps de cuisson: 20'
Difficulté: ●
Kcal (par portion): 378
Protéines (par portion): 7
Mat. gr. (par portion): 4
Apport nutritionnel: ●●●

Une variante savoureuse consiste à les faire tremper, une fois cuits et épluchés, dans un récipient rempli de bon vin rouge.

BRUTTI MA BUONI

"Laids mais bons"

4 blancs d'œuf
30 gr d'amandes épluchées
30 gr de noisettes épluchées
50 gr de sucre vanille
100 gr de beurre

Portions: 4
Temps de préparation: 20'
Temps de cuisson: 30'
Difficulté: ●●
Kcal (par portion): 417
Protéines (par portion): 9
Mat. gr. (par portion): 36
Apport nutritionnel: ●●●

Montez les blancs d'œuf en neige, puis ajoutez peu à peu le sucre (jamais d'un seul coup car les blancs s'effondreraient). Faites griller les amandes et les noisettes au four, après quoi hachez-les grossièrement. Petit à petit, ajoutez ce hachis aux blancs d'œuf. Beurrez un plat à four et disposez-y des cuillerées pas trop grosses de mélange. Mettez à four chaud et laissez cuire à feu très doux une demi-heure, jusqu'à obtention de petits tas bien croquants. Laissez refroidir et... régalez-vous !

CASTAGNACCIO

300 gr de farine de châtaigne
1 grand verre d'eau froide
6 cuillerées d'huile
romarin
1 poignée de pignons et
1 de raisins secs

Portions: 4
Temps de préparation: 15'+30'
Temps de cuisson: 45'
Difficulté: ●●
Kcal (par portion): 338
Protéines (par portion): 5
Mat. gr. (par portion): 26
Apport nutritionnel: ●●●

Mettez les raisins secs à tremper dans de l'eau chaude. Versez la farine de châtaigne dans un saladier avec 2 cuillerées d'huile. Ajoutez petit à petit l'eau froide et tournez avec un fouet de manière à obtenir un mélange fluide et sans grumeaux.
Laissez reposer le mélange pendant au moins une demi-heure et entre temps badigeonnez d'huile une tourtière rectangulaire à bords bas.
Dans une petite casserole avec 3 cuillerées d'huile mettez un instant sur le feu les feuilles de romarin.
Versez le mélange dans le plat à tarte, parsemez sa surface de pignons et de raisins bien séchés, et versez l'huile parfumée au romarin ainsi que le reste de l'huile. Mettez à four très chaud (220°) pendant 30-40 minutes.

Le "castagnaccio" doit avoir une belle couleur brune et sa surface être toute ridée. Le secret réside dans la farine: méfiez-vous de celle que l'on trouve en octobre, elle est de l'année dernière. La bonne farine de châtaigne ne se trouve pas avant mi-novembre, elle est farineuse et sucrée (en effet vous ne devriez pas avoir besoin d'ajouter du sucre), et elle est même bonne à manger crue.

CENCI

Beignets

300 gr de farine
50 gr de beurre
2 œufs
1 cuillerée de sucre
1 cuillerée de marsala
1 pincée de sel
200 gr de sucre vanille
huile d'olive

Portions: 4
Temps de préparation: 30'+1h
Temps de cuisson: 20'
Difficulté: ●●
Kcal (par portion): 805
Protéines (par portion): 8
Mat. gr. (par portion): 38
Apport nutritionnel: ●●●

Ces biscuits sont bons chauds mais également froids; on les mange aussi bien pendant le Carnaval (en Toscane ils sont une institution) qu'en plein été, à l'occasion de l'anniversaire d'un enfant, car ils sont fort digestes et faciles à préparer.
Chacun aime à apporter ses variantes personnelles à la recette ou aux formes (certains par exemple font des noeuds aux rubans de pâte avant de les frire, ou encore leur font des bords dentelés).
Place à l'imagination, leur goût sera toujours aussi bon.

Faites un puits de farine et au centre versez le beurre (ramolli hors du réfrigérateur), le sucre, les œufs, une cuillerée de marsala et une pincée de sel. Travaillez avec les mains jusqu'à obtention d'un mélange consistant (s'il le faut ajoutez un peu de farine). Laissez reposer couvert dans un endroit sec pendant une heure. Abaissez la pâte en une couche fine dans laquelle vous découperez des bandes de 5 cm sur 10 environ (ou de la forme que vous voudrez; leur nom de cenci, "chiffons", vient de ce qu'il n'y en a pas deux pareils). Faites-les frire dans beaucoup d'huile bouillante. Ils sont prêts lorsqu'ils sont dorés et croquants; attention à ne pas les laisser plus longtemps, ils brûleraient. Séchez-les et saupoudrez-les généreusement de sucre vanillé.

FRITTELLE DI RISO

Beignets de riz

500 gr de riz
1/2 litre de lait
200 gr de raisins de Corinthe
1 orange et 1 citron
500 gr de sucre en poudre
1 petit verre de marsala
1 cuillerée de farine
3 œufs entiers + 2 jaunes
1 pincée de levure pour desserts
huile d'olive

Portions: 4-6
Temps de préparation: 25'
Temps de cuisson: 1h
Difficulté: ●●●
Kcal (par portion): 1695
Protéines (par portion): 35
Mat. gr. (par portion): 66
Apport nutritionnel: ●●●

Mettez le riz dans une casserole avec un demi-litre d'eau froide, le lait froid, l'orange et le citron en tranches. Faites cuire 20 minutes à feu doux en tournant avec une cuillère de bois; ajoutez 300 grammes de sucre et faites cuire, toujours à feu doux, pendant 20 minutes encore en remuant. Avant d'ôter du feu ajoutez le marsala et les raisins secs. Laissez refroidir puis enlevez les zestes d'orange et de citron. Ajoutez la farine, les œufs, les jaunes et la levure. Tournez avec une cuillère de bois et faites frire des cuillerées de ce mélange dans une grande quantité d'huile. Les beignets devront flotter à la surface de l'huile, sinon haussez la flamme car l'huile n'est pas assez chaude. Faites-les dorer uniformément, égouttez-les bien et passez-les dans le sucre en poudre. Servez chaud.

Traditionnellement, les beignets de riz se préparent le 19 mars, le jour de la saint Joseph, qui autrefois était un jour férié et ne l'est plus. Dommage. Si les exigences de la production nous ont privés de cette fête, au moins ne renonçons pas à ces exquis beignets, typiques de notre cuisine. Je dois vous prévenir qu'ils semblent faciles à faire mais demandent en réalité la plus grande attention; ils doivent être bien dorés et ne pas se remplir d'huile, comme beaucoup de ceux que l'on trouve dans le commerce.

120 gr de farine
20 gr de poudre de cacao amer
2 blancs d'œuf
1 orange
150 gr de sucre glace

Portions: 4
Temps de préparation: 20'
Temps de cuisson: 10'
Difficulté: ●●
Kcal (par portion): 291
Protéines (par portion): 8
Mat. gr. (par portion): 2
Apport nutritionnel: ●●●

QUARESIMALI

Biscuits de carême

Râpez le zeste d'une orange pas trop grosse, puis mettez tous les ingrédients dans un saladier et amalgamez-les en les travaillant longuement avec une cuillère en bois. Vous obtiendrez un mélange assez dense et crémeux. Mettez-en une partie dans une poche de pâtissier à embouchure lisse et, sur une plaque de four légèrement beurrée, tracez les lettres de l'alphabet, pas trop grandes (4-5 centimètres de hauteur au maximum) et bien écartées l'une de l'autre, car en cuisant elles tendent à gonfler.
Mettez à four doux et faites cuire pendant 10 minutes au moins.

Le nom même de ces biscuits indique qu'ils étaient traditionnellement fabriqués pendant le temps de la Carême.
A Florence et dans toute la Toscane il n'était pas une pâtisserie qui n'en eût en vitrine des montagnes que l'on s'arrachait au cours de cette austère période de jeûne.
Maintenant que la mode en est – hélas – quelque peu passée, faites-les à l'occasion de quelque anniversaire d'enfants. Vos gamins s'amuseront sans doute comme des fous - comme moi, du reste - à former des mots qu'ils dévoreront ensuite !

Si le résultat obtenu avec la poche de pâtissier n'est pas satisfaisant, l'on peut aisément trouver dans le commerce de petits moules en forme de lettres qui donneront des biscuits plus présentables.
En fin de compte, l'originalité de cette recette, également fort simple, réside dans la forme des biscuits, et donc mieux vaut que celle-ci soit réussie...

SALAME DI CIOCCOLATA

Saucisson au chocolat

300 gr de biscuits secs (pas aux œufs)
150 gr de sucre en poudre
150 gr de beurre
50 gr de pignons
2 cuillerées de poudre de cacao amer
1 petit verre de marsala sucré

Portions: 4-6
Temps de préparation: 30'+2h
Difficulté: ●●
Kcal (par portion): 902
Protéines (par portion): 8
Mat. gr. (par portion): 51
Apport nutritionnel: ●●●

Emiettez finement les biscuits dans un saladier et mélangez-les au beurre (fondu mais pas chaud), au sucre et au cacao. Travaillez le mélange à la cuillère en bois et ajoutez les pignons hachés grossièrement. Donnez au tout une forme allongée, comme un saucisson, que vous mettrez au réfrigérateur enveloppé de papier aluminium. Au moment de le servir, coupez-le en tranches d'un centimètre d'épaisseur et disposez-le sur un plat rond.

Si vous le désirez, vous pourrez préparer en accompagnement une crème légère dont vous le recouvrirez. Travaillez deux jaunes d'œuf dans un bol avec 50 grammes de sucre en poudre, ajoutez 20 grammes de farine et un demi-litre de lait à température ambiante. Amalgamez hors du feu avec un fouet, puis mettez à feu très doux et ôtez-la dès qu'elle commence à frémir sur les bords.

Le célèbre Carnaval de Viareggio, avec ses grands chars allégoriques.

SCHIACCIATA ALLA FIORENTINA

Fougasse sucrée à la florentine

500 gr de farine
150 gr de saindoux
20 gr de levure de bière
150 gr de sucre
4 œufs
1 orange
sel
sucre vanillé

Portions: 4-6
Temps de prép.: 30'+1h+2h
Temps de cuisson: 30'
Difficulté: ●●
Kcal (par portion): 1127
Protéines (par portion): 27
Mat. gr. (par portion): 50
Apport nutritionnel: ●●●

Délayez la levure dans de l'eau à peine tiède et ajoutez-la à la farine. Travaillez afin d'obtenir un mélange consistant (qui se détache en un seul bloc des bords du récipient). Laissez lever une heure couvert, dans un endroit sec. Lorsque la pâte aura doublé de volume, pétrissez-la avec les mains et ajoutez-y les jaunes d'œuf, le sucre, 100 grammes de saindoux, une pincée de sel et le zeste d'orange râpé fin. Amalgamez et avec le reste du saindoux graissez un moule rectangulaire à bords hauts et étalez-y la pâte en lui donnant une épaisseur uniforme de 2-3 centimètres. Attention, tout le secret est là: laissez-la à nouveau lever pendant 2 heures. Faites cuire à four chaud pendant une demi-heure. Sortez du four et saupoudrez de sucre vanillé.

Schiacciata con l'uva

Fougasse aux raisins

Pour la pâte à pain :
400 gr de farine
20 gr de levure de bière
4 cuillerées d'huile d'olive

1 kg de raisins noirs à petits grains
8 cuillerées de sucre semoule
romarin
2 cuillerées d'huile d'olive

Portions: 6
Temps de préparation: 15'+40'
Temps de cuisson: 30'
Difficulté: ●●
Kcal (par portion): 620
Protéines (par portion): 13
Mat. gr. (par portion): 6
Apport nutritionnel: ●●●

Arrosez-la d'un bon verre de vin rouge avant de la mettre au four: elle en prendra le goût mais aussi la belle couleur sombre. Pour ce dessert, typique de la fin de l'été et du début de l'automne, je conseille d'utiliser le raisin noir dont on fait le vin, à petits grains juteux.

Travaillez la pâte (voir la recette ci-dessous), rendue élastique avec une cuillerée d'huile, pendant cinq minutes. Badigeonnez d'huile un moule à bords hauts et étalez-y la moitié de la pâte: parsemez celle-ci des deux tiers des grains de raisins, en les pressant dans la pâte, et saupoudrez de 3 cuillerées de sucre. Recouvrez du reste de la pâte en faisant adhérer celle-ci aux bords du moule. Garnissez du reste des raisins et saupoudrez de sucre: déposez çà et là quelques brins de romarin, arrosez d'un filet d'huile. Laissez lever 40 minutes et mettez à four chaud pendant une demi-heure. La fougasse est prête lorsque la croûte est dorée.

Pour faire la pâte à pain, délayez la levure dans un peu d'eau tiède et ajoutez-la à la farine et à l'huile. Pétrissez le mélange et laissez-le lever une heure dans un endroit sec, couvert d'un torchon. Votre pâte est alors prête à l'emploi (pain, pizzas, fougasses, mais aussi plats en croûte et quiches que les Lorrains vous envieront).

ZUCCOTTO

Pour le pain de Gênes, procédez ainsi: fouettez longuement les œufs avec le sucre jusqu'à obtention d'un mélange léger qui gonfle: s'il en tombe un fil du fouet, il devrait rester un instant sur la surface. S'il est absorbé immédiatement, c'est qu'il faut battre encore. Comptez un quart d'heure environ mais ne soyez pas pressés. Ajoutez la farine, le zeste de citron râpé et une pincée de sel. Versez dans un moule à gâteaux beurré et enfariné et mettez à four chaud pendant une demi-heure. Laissez refroidir, sinon votre pain de Gênes s'émiettera. Fouettez à présent la crème fraîche avec le sucre glace et mettez-la au réfrigérateur. Préparez un sirop dense de chocolat (dans une casserole faites fondre doucement pendant 5 minutes le beurre, la poudre de cacao, le sucre et environ 4 cuillerées d'eau). Laissez refroidir et tournez souvent. Lorsque votre sirop est froid, mélangez-le avec un tiers de la crème fouettée et remettez au réfrigérateur. Mélangez avec le reste de crème fouettée les fruits confits coupés en petits dés et le chocolat grossièrement haché, et remettez encore au réfrigérateur. Pour farcir, coupez le pain de Gênes en tranches régulières et mouillez-le bien de vinsanto en vous aidant d'un pinceau. Versez dans le moule la crème fouettée au chocolat et finissez de remplir avec la crème fouettée aux fruits confits. Recouvrez le tout d'un disque de pain de Gênes imbibé de vinsanto dont vous essorerez l'excédent avec les mains. Laissez 4-5 heures au réfrigérateur (pas au congélateur; c'est un parfait, pas une glace).

4 œufs
150 gr de sucre
150 gr de farine
1 zeste de citron
1/2 litre de crème
100 gr de chocolat fondant
100 gr de fruits confits assortis
50 gr de sucre glace
poudre de cacao
20 gr de beurre
vinsanto sucré

Portions: 4
Temps de préparation: 50'+5h
Temps de cuisson: 40'
Difficulté: ●●●
Kcal (par portion): 1394
Protéines (par portion): 11
Mat. gr. (par portion): 95
Apport nutritionnel: ●●●

TORTA "AI 7 CUCCHIAI"

Gâteau "aux 7 cuillères"

400 gr de farine
7 cuillerées d'huile d'olive
7 cuillerées de sucre en poudre
7 cuillerées de lait
3 œufs
1 dose de levure pour desserts
1 orange
1 noix de beurre

Portions: 4 -6
Temps de préparation: 20'
Temps de cuisson: 45'
Difficulté: ●●
Kcal (par portion): 433
Protéines (par portion): 11
Mat. gr. (par portion): 11
Apport nutritionnel: ●●●

Travaillez bien au fouet l'huile, le sucre et le lait, en ajoutant petit à petit les œufs et le zeste d'orange râpé. Ajoutez la farine en pluie, sans cesser de mélanger, et en dernier la levure. Beurrez et enfarinez légèrement un moule rond à bords hauts et remplissez-le avec le mélange. Mettez à four moyen pendant 3/4 d'heure; vérifiez que le gâteau est cuit en y plongeant la lame d'un couteau qui devra ressortir sèche. Ce n'est qu'alors que le gâteau sera prêt. Laissez reposer hors du four pendant quelques minutes puis démoulez sur un plat.

Il s'agit d'une excellente base pour des gâteaux farcis (de crème pâtissière, ou d'une somptueuse confiture de figues comme celle que l'on voit sur la photographie). Ou encore, coupé en tranches, ce gâteau se prête à merveille à la préparation de la Soupe à la florentine. Si vous voulez obtenir un gâteau encore plus léger, augmentez d'1 ou 2 cuillerées la quantité d'huile, toujours, ça va sans dire, de l'huile d'olive vierge.